igloobooks

igloobooks

Published in 2021
First published in the UK by Igloo Books Ltd
An imprint of Igloo Books Ltd
Cottage Farm, NN6 0BJ, UK
Owned by Bonnier Books
Sveavägen 56, Stockholm, Sweden
www.igloobooks.com

1221 001
2 4 6 8 10 9 7 5 3 1
ISBN 978-1-83852-124-0

Cover designed by Dave Chapman

Puzzle compilation, typesetting and design by:
Clarity Media Ltd, http://www.clarity-media.co.uk

Printed and manufactured in China

No. 1 Microorganisms

N	S	S	E	C	Y	M	O	T	P	E	R	T	S	A
F	A	U	A	T	C	A	I	N	I	S	R	E	Y	T
N	L	L	C	P	F	L	U	M	V	U	E	X	R	A
A	E	L	U	C	S	L	E	W	I	L	S	P	I	O
R	T	I	I	O	O	E	Z	R	B	I	U	R	C	E
B	R	C	S	T	E	C	U	Z	R	H	C	O	K	N
P	E	A	W	S	T	I	O	D	I	P	C	T	E	O
B	P	B	E	O	E	T	B	T	O	O	O	E	T	C
O	O	O	I	N	C	R	A	S	P	M	C	U	T	O
R	N	T	S	O	U	O	I	A	S	E	O	S	S	C
R	E	C	S	C	N	V	H	A	A	A	R	N	I	C
E	M	A	E	U	R	E	Y	L	B	H	E	T	A	U
L	A	L	L	E	N	O	M	L	A	S	T	D	S	S
I	L	R	L	L	Z	Y	M	O	M	O	N	A	S	Q
A	A	S	A	P	A	S	T	E	U	R	E	L	L	A

BORRELIA
BRUCELLA
ENTEROCOCCUS
HAEMOPHILUS
LACTOBACILLUS
LEUCONOSTOC
NEISSERIA
OENOCOCCUS
PASTEURELLA
PROTEUS
PSEUDOMONAS
RICKETTSIA
SALMONELLA
STREPTOCOCCUS
STREPTOMYCES
TREPONEMA
VIBRIO
VORTICELLA
WEISSELLA
YERSINIA
ZYMOMONAS

No. 2 Doctor Who

L	N	S	S	N	T	N	A	N	N	E	T	T	M	L
Y	E	R	F	I	L	L	A	G	A	R	E	K	A	B
U	E	V	E	T	E	B	T	I	M	E	L	O	R	D
A	G	T	A	T	S	A	T	H	R	C	I	D	T	A
N	L	N	P	R	R	K	A	U	E	C	A	L	H	L
R	N	W	O	D	T	R	E	P	B	L	L	A	A	E
K	O	O	I	S	T	E	M	O	Y	E	K	W	J	K
O	T	S	I	N	R	J	M	E	C	S	L	S	O	S
S	C	I	E	N	C	E	F	I	C	T	I	O	N	Y
A	A	L	L	T	A	N	V	W	T	O	D	A	E	P
Y	L	E	O	L	Y	P	M	I	E	N	L	R	S	M
U	F	L	D	R	A	L	M	Z	R	D	A	A	Q	K
K	P	E	R	T	W	E	E	O	N	T	P	L	T	L
S	K	O	A	L	S	P	U	R	C	A	A	C	I	T
F	D	M	N	N	A	G	C	M	M	C	C	O	Y	C

BAKER
CAPALDI
CLARA OSWALD
COMPANION
CYBERMAN
DALEK
ECCLESTON
GALLIFREY
HARTNELL
MARTHA JONES
MCCOY
MCGANN
NARDOLE
PERTWEE
RIVER SONG
ROSE TYLER
SCIENCE FICTION
TARDIS
TENNANT
TIME LORD
TIME TRAVEL

No. 3

'All' In All

E	Q	J	E	S	E	Y	Z	R	R	Q	P	E	B	N
O	I	M	C	R	E	G	N	E	L	L	A	H	C	A
A	E	A	P	N	I	R	U	G	H	X	R	S	A	O
I	T	K	A	A	L	U	I	A	R	E	A	L	L	Y
S	N	P	W	I	L	L	L	L	R	M	L	L	L	W
K	W	O	A	S	E	L	F	L	H	H	L	A	O	I
R	U	A	R	H	M	A	A	Y	X	D	E	H	U	I
O	N	D	L	A	L	T	U	D	A	F	L	E	S	P
J	O	E	R	L	T	E	S	I	I	S	Q	S	U	Y
J	O	K	I	L	O	M	C	S	M	U	H	L	L	J
Y	L	B	Y	O	K	W	A	A	A	A	M	L	S	Y
K	L	T	L	W	H	Z	L	L	L	J	A	A	L	R
E	A	L	Q	D	R	L	L	L	L	T	I	W	Z	Y
H	B	X	A	H	E	Y	O	O	W	O	V	D	Y	N
N	M	Z	S	R	Y	T	P	W	H	T	U	T	H	U

BALLOON
CALLOUS
CHALLENGE
DISALLOW
EQUALLY
FALLIBLE
HALLMARK
HALLS
METALLURGY
PALLADIUM
PARALLEL
RALLY
REALLY
REGALLY
SCALLOP
SHALLOT
SHALLOW
SMALLER
SWALLOW
TALLY
WALLS

No. 4

Let's Watch 'A' Film!

S	L	S	A	A	T	O	N	E	M	E	N	T	C	S
I	T	E	M	O	S	J	B	V	U	I	F	L	A	Q
A	A	T	E	I	F	L	A	E	X	P	A	L	P	T
F	R	A	R	S	I	I	B	T	S	N	S	R	O	A
R	A	T	I	U	Z	U	R	U	T	A	E	X	C	R
I	R	S	C	O	Z	T	O	O	T	C	L	I	A	I
C	A	D	A	M	S	S	N	B	M	I	R	S	L	K
A	R	E	N	Y	K	D	X	A	S	R	W	L	Y	A
N	R	R	B	N	T	H	T	L	Q	E	B	O	P	M
Q	I	E	E	O	K	P	A	L	L	M	C	J	S	I
U	V	T	A	N	G	E	L	A	S	A	S	H	E	S
E	A	L	U	A	T	E	E	I	L	E	M	A	N	T
E	L	A	T	S	T	H	G	I	N	K	A	S	O	A
N	R	A	Y	O	B	A	T	U	O	B	A	P	W	D
D	N	A	L	E	R	U	T	N	E	V	D	A	I	R

A BRONX TALE
A KNIGHT'S TALE
ABOUT A BOY
ADVENTURELAND
AFRICAN QUEEN
AKIRA
ALFIE
ALIEN
ALL ABOUT EVE
ALTERED STATES
AMELIE
AMERICAN BEAUTY
AMERICAN PIE
AMISTAD
ANGELA'S ASHES
ANONYMOUS
ANTZ
APOCALYPSE NOW
ARARAT
ARRIVAL
ATONEMENT

No. 5 Football Club Nicknames

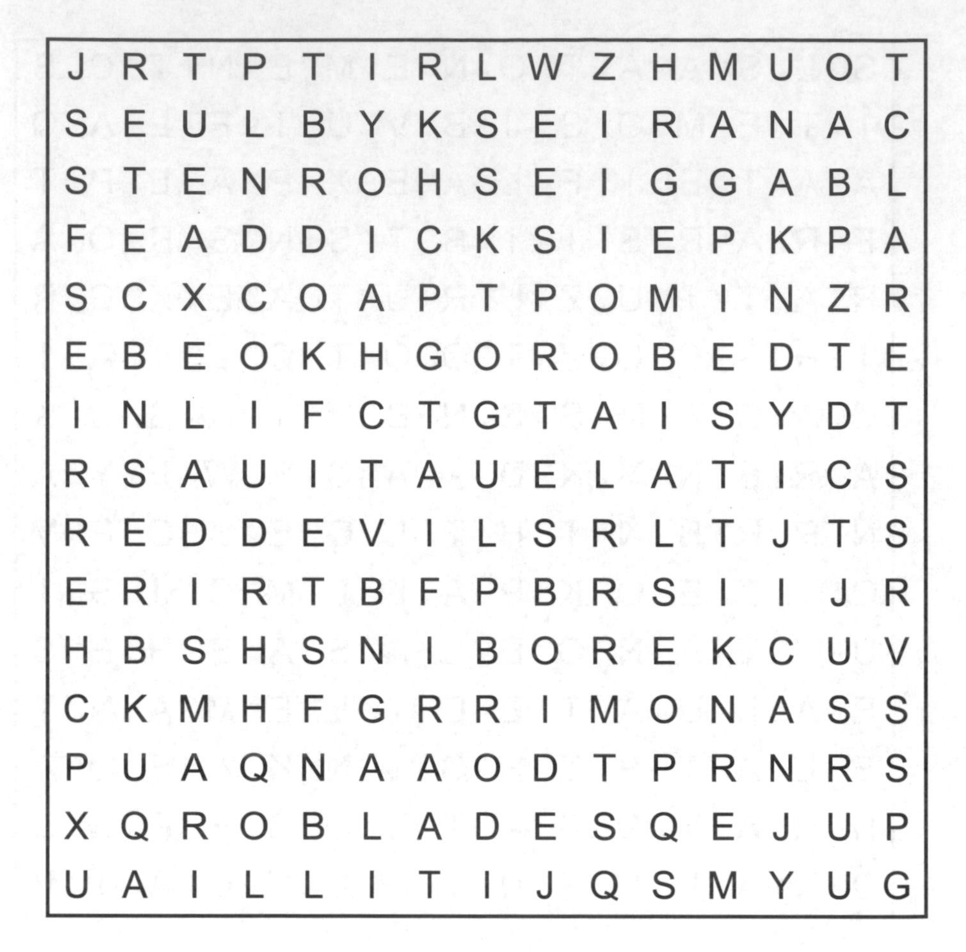

ADDICKS
BAGGIES
BLACK CATS
BLADES
BLUEBIRDS
BORO
CANARIES
CHERRIES
CLARETS
DAGGERS
FOXES
GUNNERS
HORNETS
LATICS
MAGPIES
POMPEY
POTTERS
RAMS
RED DEVILS
ROBINS
SKY BLUES

No. 6

Boat Parts

M	T	G	A	T	E	T	U	S	R	Q	H	A	V	I
B	I	N	N	A	C	L	E	E	K	S	A	G	Y	Q
R	U	Z	B	E	A	K	H	E	A	D	V	X	U	B
I	B	L	Z	O	P	L	I	A	S	N	I	A	M	E
D	F	I	K	E	W	B	U	L	W	A	R	K	S	D
G	R	A	J	H	N	S	R	P	C	T	U	K	J	F
E	I	S	M	L	E	H	P	Y	E	L	L	A	G	S
V	E	G	T	E	T	A	A	R	W	U	Y	I	S	U
L	G	U	K	E	K	R	D	I	I	A	H	N	I	Y
K	S	L	Z	O	R	E	F	G	W	T	M	O	O	B
T	Z	W	S	U	C	N	S	G	P	W	A	E	H	A
O	P	R	C	K	R	L	N	I	G	V	Z	T	U	T
R	P	G	R	X	R	A	A	N	E	L	C	Y	L	T
R	I	L	G	H	G	S	U	G	U	N	W	A	L	E
Q	T	J	Z	X	S	F	R	P	G	O	E	D	X	N

BATTEN	BULWARK	KEEL
BEAKHEAD	GALLEY	LUGSAIL
BINNACLE	GANGWAY	MAINSAIL
BOOM	GUNWALE	MIZZEN
BOWSPRIT	HELM	QUARTERDECK
BRIDGE	HULL	RIGGING
BULKHEAD	JIB	STERN

No. 7 Spy Films

BAD COMPANY
BODY OF LIES
BOURNE ULTIMATUM
CONSPIRACY
DOUBLE IDENTITY
EAGLE EYE
FAIR GAME
GOLDFINGER
NOTORIOUS
RONIN
SALT
SKYFALL
SPY GAME
SPY KIDS
SYRIANA
THE ART OF WAR
THE AVENGERS
THE GOOD SHEPHERD
THE IPCRESS FILE
THE JACKAL
TRUE LIES

No. 8

Bones

U	M	X	Y	L	S	X	H	S	I	U	J	F	H	I
X	S	A	Y	Q	V	E	P	P	R	S	E	R	N	I
L	M	C	X	C	S	U	K	Y	K	M	I	Y	W	N
U	E	U	A	I	C	S	R	S	U	I	D	A	R	C
R	O	N	I	P	L	O	O	R	T	A	Z	S	O	U
O	H	E	N	N	U	L	C	P	P	A	O	A	N	S
N	A	K	L	X	A	L	A	C	A	R	P	U	S	T
S	U	T	K	C	O	R	A	M	I	E	J	E	A	E
S	T	D	P	O	I	L	C	R	U	P	O	L	S	R
H	S	O	I	E	C	V	T	U	O	R	I	A	A	N
I	X	E	T	A	L	H	A	I	T	L	T	T	Y	U
E	A	A	N	G	B	V	E	L	B	I	D	N	A	M
R	L	E	T	H	M	O	I	D	C	I	A	O	E	L
M	U	A	N	S	E	S	J	S	R	Y	A	R	L	C
S	U	R	E	M	U	H	R	T	H	F	O	F	J	O

CALCANEUS
CARPUS
CENTRUM
CLAVICLE
COCCYX
CRANIUM
ETHMOID
FEMUR
FRONTAL
HUMERUS
INCUS
MANDIBLE
MAXILLA
OCCIPITAL
PARIETAL
PELVIS
RADIUS
SCAPULA
STAPES
STERNUM
TIBIA

No. 9 The Colour Purple

N	R	I	I	O	Y	D	I	H	C	R	O	M	F	E
N	M	A	U	V	E	R	O	N	I	C	A	E	B	L
A	P	R	E	D	N	E	V	A	L	M	H	L	O	P
H	O	O	Y	S	R	R	L	A	E	D	Y	K	G	R
E	C	U	Y	C	E	R	V	T	D	V	M	N	N	U
R	P	R	P	P	C	R	H	N	E	T	U	I	A	P
H	T	O	A	E	Y	Y	X	E	H	F	L	W	D	Y
C	H	L	R	I	S	P	A	G	C	G	B	I	N	L
K	I	V	I	T	R	T	D	A	Y	S	E	R	A	R
X	S	R	O	O	O	T	O	M	S	Q	R	E	F	A
R	T	B	T	Y	R	I	A	N	P	U	R	P	L	E
P	L	U	M	C	I	A	L	P	L	A	Y	O	R	P
R	E	S	C	I	E	J	S	E	S	S	N	E	C	A
N	I	A	V	I	O	L	E	T	H	Q	A	S	T	S
S	E	U	R	D	X	X	E	W	A	D	P	A	Y	O

AMETHYST
ELECTRIC
FANDANGO
HAN
HELIOTROPE
LAVENDER
MAGENTA
MAUVE
MULBERRY
ORCHID
PANSY
PATRIARCH
PEARLY PURPLE
PERIWINKLE
PLUM
PSYCHEDELIC
ROYAL
THISTLE
TYRIAN PURPLE
VERONICA
VIOLET

No. 10 Farming

N	K	O	P	O	Y	I	D	M	Q	U	U	C	A	A
O	R	C	H	A	R	D	L	E	I	F	I	R	R	X
I	R	P	K	S	M	R	W	I	H	L	A	Q	U	G
T	B	I	S	O	N	I	A	R	G	S	K	Q	X	T
A	N	I	M	A	L	S	R	Z	Z	P	C	P	B	Y
G	R	A	Z	I	N	G	T	R	F	E	Y	J	T	T
I	O	D	U	A	E	A	S	G	R	V	O	L	E	S
R	N	O	E	G	K	L	T	E	T	C	B	R	B	Z
R	Y	F	S	V	C	I	A	Z	N	Y	W	F	W	H
I	Z	R	L	E	I	L	B	B	R	C	O	P	B	S
X	R	D	I	O	H	H	L	W	E	D	C	A	I	E
E	L	T	T	A	C	K	E	G	D	X	S	B	R	I
T	A	S	T	L	D	K	E	E	K	A	E	S	N	E
P	P	R	P	T	O	L	R	I	B	X	Z	O	T	O
Y	V	S	O	J	N	S	W	C	O	S	I	R	E	C

ANIMALS
BALE
BEEHIVE
BISON
CATTLE
CEREAL
CHICKEN
COWBOY
DAIRY
FIELD
FLOCK
FODDER
GOOSE
GRAIN
GRAZING
IRRIGATION
MILK
ORCHARD
SHED
STABLE
STRAW

No. 11 **In The Pond**

BEETLES
DAMSELFLY
DRAGONFLY
FOUNTAIN
FROG
GOLDFISH
KOI
LARVAE
MAYFLIES
NEWT
NYMPHS
POND SKATER
POND SNAIL
PONDWEED
STICKLEBACK
TADPOLES
TOAD
VEGETATION
WATER BEETLE
WATER BOATMEN
WATER LILY

No. 12

Vatican City

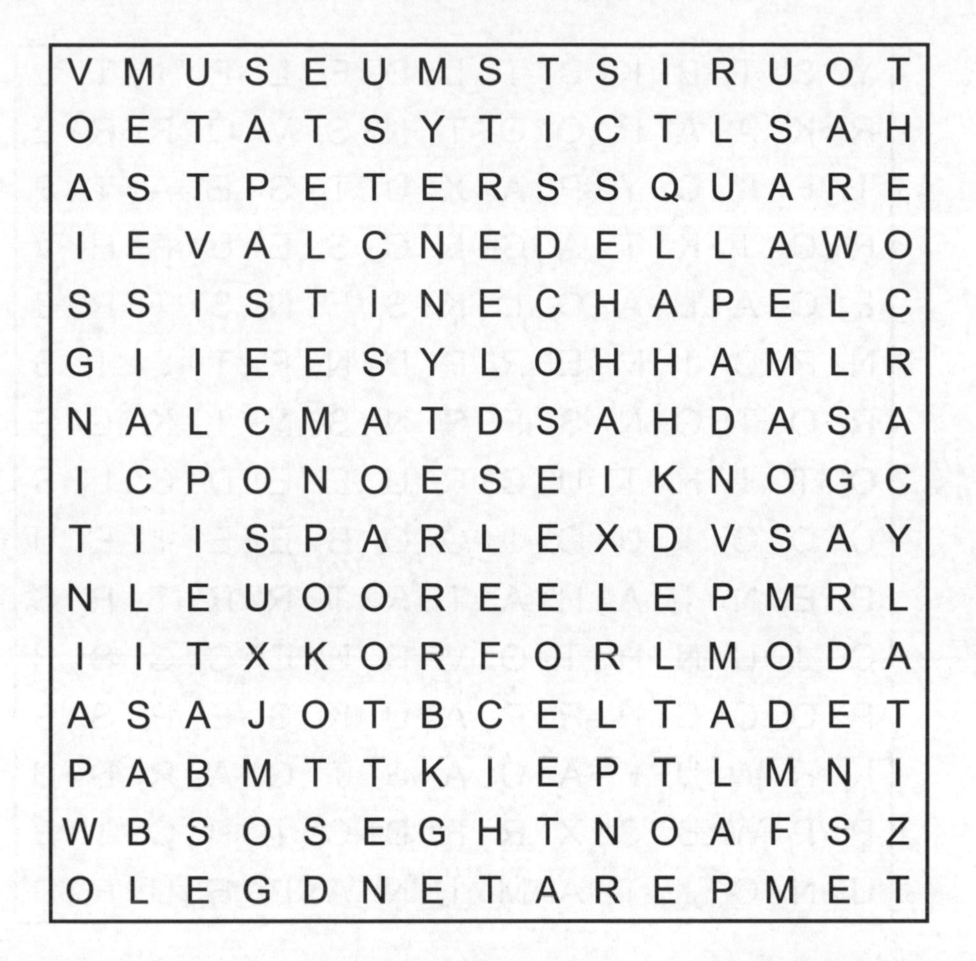

BASILICA
CITY-STATE
GARDENS
HOLY SEE
ITALY
LANDLOCKED
MUSEUMS

NECROPOLIS
PAINTINGS
PIETA
POPE FRANCIS
RAPHAEL ROOMS
ROME
SISTINE CHAPEL

SMALLEST STATE
SOVEREIGN
ST PETER'S SQUARE
TEMPERATE
THEOCRACY
TOURISTS
WALLED ENCLAVE

No. 13 Going To The Cinema

Y	S	T	B	K	B	T	L	D	E	L	F	I	T	L
R	K	A	A	R	O	O	T	N	S	V	O	R	R	E
I	F	K	C	Y	P	A	X	U	T	S	E	A	T	S
R	C	I	K	T	A	C	L	O	S	E	U	P	H	V
E	O	A	L	A	O	L	K	S	F	N	S	T	R	Z
N	R	C	I	M	E	R	P	D	N	F	T	E	I	S
R	O	T	G	N	S	F	S	N	S	N	I	K	L	S
O	T	I	H	T	U	C	R	U	E	E	D	C	L	S
C	C	O	T	U	O	I	O	O	B	E	E	I	E	U
P	E	N	I	A	H	A	T	R	T	R	R	T	R	S
O	J	U	N	H	T	O	V	R	E	C	C	C	S	H
P	O	Q	G	N	R	P	A	U	K	S	E	P	S	S
K	R	W	U	F	A	C	A	S	T	G	A	R	D	U
P	P	W	B	S	X	R	F	D	C	I	P	O	I	B
U	N	O	I	T	A	M	I	N	A	B	E	U	R	D

ACTION
ACTORS
ADAPTATION
ANIMATION
ART HOUSE
BACKLIGHTING
BIG SCREEN
BIOPIC
BOX OFFICE
CAST
CLOSE-UP
CREDITS
DIRECTOR
FILM SCORE
POPCORN
PROJECTOR
SCREENPLAY
SEATS
SURROUND SOUND
THRILLER
TICKET

No. 14 Choose Your Vehicle

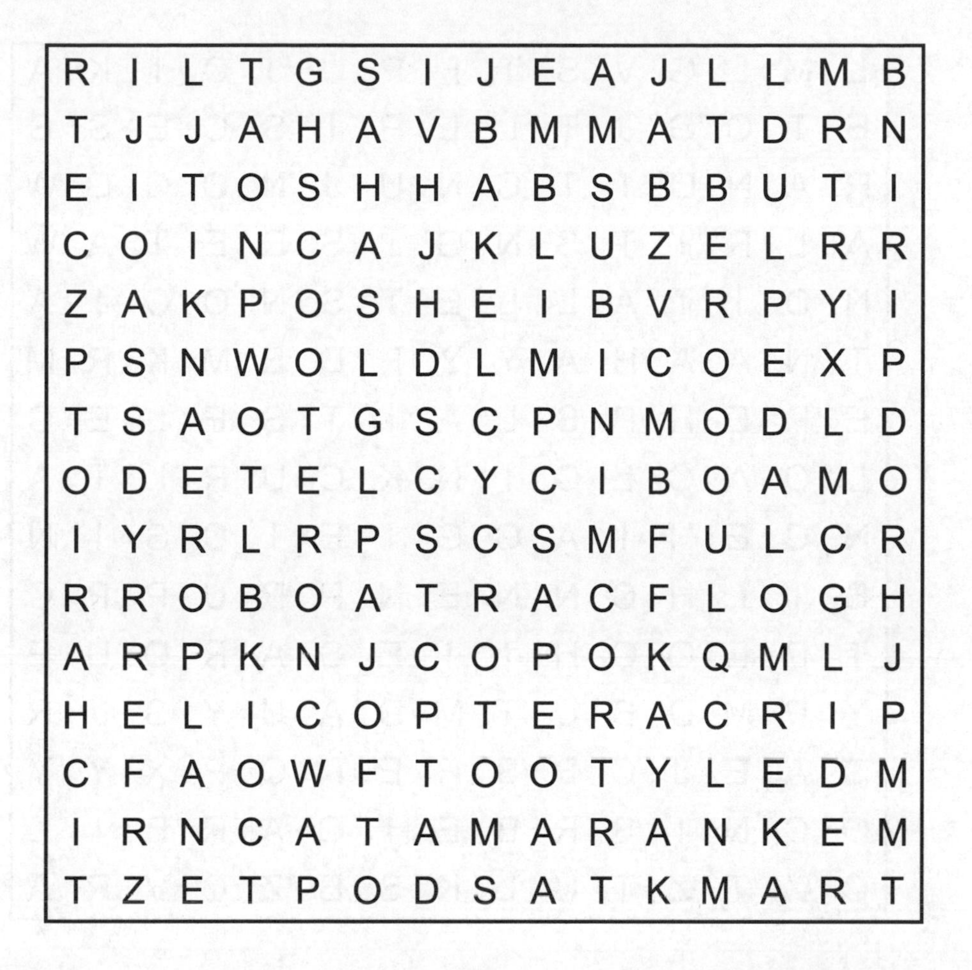

AEROPLANE
BICYCLE
BLIMP
BOAT
CANOE
CATAMARAN
CHARIOT

COACH
FERRY
GLIDER
GOLF CART
HELICOPTER
KAYAK
MINIBUS

MOTORCYCLE
PEDALO
SCOOTER
SLEDGE
TRACTOR
TRAIN
TRAM

No. 15

Astrology

L	M	L	G	V	S	T	F	P	U	J	O	I	K	A
E	T	O	G	J	T	L	L	P	I	S	C	E	S	S
R	A	N	O	I	T	C	N	U	J	N	O	C	G	W
A	L	R	I	T	S	N	G	I	S	R	E	T	A	W
N	O	I	T	A	L	L	E	T	S	N	O	C	I	A
T	N	A	A	H	A	Y	Y	F	D	E	M	K	R	M
E	R	E	H	P	S	L	A	I	T	S	E	L	E	C
L	O	A	C	L	O	I	N	K	C	U	R	L	T	A
N	C	E	H	I	A	G	G	I	E	I	C	S	I	N
S	I	L	H	C	N	N	E	N	P	R	U	P	P	C
T	R	E	O	O	H	I	I	E	S	A	R	O	U	E
Y	P	M	D	B	U	T	M	D	A	U	Y	S	J	R
S	A	E	J	C	B	S	R	E	R	Q	P	X	Y	Y
O	C	N	I	S	R	B	E	I	G	A	R	B	I	L
C	Z	T	Z	T	U	L	K	S	B	Z	C	V	R	A

APOGEE
AQUARIUS
ASCENDING NODE
ASPECT
BIRTH CHART
CANCER
CAPRICORN
CARDINAL
CELESTIAL SPHERE
CONJUNCTION
CONSTELLATION
CUSP
EARTH SIGNS
ELEMENT
GEMINI
HOUSES
JUPITER
LIBRA
MERCURY
PISCES
WATER SIGNS

No. 16 Jane Eyre

L	C	C	R	O	R	D	U	A	S	H	U	O	R	H
P	T	H	O	R	N	F	I	E	L	D	H	A	L	L
I	L	A	S	O	P	O	R	P	E	A	V	U	O	M
P	E	R	D	G	O	V	E	R	N	E	S	S	T	E
A	V	L	N	R	C	K	G	L	G	H	S	D	S	E
R	O	O	O	R	A	S	R	E	L	S	Z	A	C	E
U	N	T	M	O	N	H	A	H	A	E	L	I	Z	A
T	M	T	A	O	O	A	C	Z	N	T	L	E	M	E
B	I	E	S	U	I	S	E	I	D	A	A	R	B	E
X	E	B	O	E	T	Q	B	A	R	G	R	E	T	X
S	M	R	R	O	C	H	E	S	T	E	R	D	K	X
Q	I	O	N	V	I	L	S	N	E	T	M	W	I	X
D	R	N	R	M	F	O	S	D	H	M	V	A	R	U
D	L	T	P	A	R	L	I	A	R	O	S	R	E	Q
Y	H	E	L	E	N	S	E	L	S	A	J	D	D	R

ALICE
BERTHA
BESSIE
CHARLOTTE BRONTE
EDWARD
ELIZA
ENGLAND
FICTION
GATESHEAD
GOVERNESS
GRACE
HELEN
JOHN
LEAH
MR REED
MR ROCHESTER
NOVEL
PROPOSAL
RICHARD
ROSAMOND
THORNFIELD HALL

No. 17

A 'Timely' Puzzle

W	T	B	R	E	I	L	R	A	E	T	U	N	I	M
H	M	O	T	B	E	E	F	N	E	R	H	R	A	A
M	L	F	H	A	V	T	K	N	O	H	O	U	R	Y
Y	I	A	G	C	E	N	T	U	R	Y	R	F	T	H
M	E	D	I	R	N	R	L	A	T	E	R	R	E	V
U	M	S	N	N	I	A	U	L	N	U	E	G	K	B
I	W	O	T	I	N	A	H	T	N	O	M	S	O	E
N	O	R	R	E	G	E	E	H	U	C	L	V	X	V
N	R	O	O	N	R	H	I	N	T	F	J	A	X	J
E	R	S	F	T	I	D	T	B	U	R	Z	R	D	R
L	O	E	R	T	B	N	A	V	L	A	O	J	A	D
L	M	C	B	S	P	P	G	Y	J	R	G	R	I	A
I	O	O	U	B	A	U	J	P	I	W	V	T	X	B
M	T	N	E	S	E	R	P	Q	S	A	P	Y	L	F
I	O	D	T	S	I	J	G	G	U	L	B	P	C	Q

AFTERNOON
ANNUAL
BEFORE
BIENNIAL
CENTURY
EARLIER
EVENING
FORTNIGHT
FUTURE
HOUR
LATER
MIDNIGHT
MILLENNIUM
MINUTE
MONTH
MORNING
PAST
PRESENT
SECOND
TOMORROW
YESTERDAY

No. 18 US National Parks

ACADIA
ARCHES
BADLANDS
BIG BEND
BRYCE CANYON
CONGAREE
DEATH VALLEY
DRY TORTUGAS
EVERGLADES
GRAND CANYON
GRAND TETON
HOT SPRINGS
ISLE ROYALE
KATMAI
OLYMPIC
PINNACLES
REDWOOD
SAGUARO
WIND CAVE
YELLOWSTONE
YOSEMITE

No. 19 Sociology

Y	K	N	S	I	N	S	T	I	T	U	T	I	O	N
B	L	O	C	Q	U	P	O	P	L	A	A	U	G	L
A	I	I	I	T	G	E	T	O	T	P	G	R	E	E
R	N	T	M	Q	Z	E	A	E	C	E	G	B	S	I
T	N	A	A	A	L	R	L	P	L	E	R	A	A	S
R	O	C	N	E	F	G	I	Y	I	R	E	N	S	I
E	V	I	Y	Y	L	R	T	T	Q	U	G	I	E	O
V	A	F	D	T	A	O	A	O	U	T	A	S	J	E
O	T	I	P	I	N	U	R	E	E	L	T	A	S	G
L	O	T	U	R	O	P	I	R	L	U	E	T	E	R
U	R	A	O	O	M	T	A	E	E	C	L	I	T	U
T	S	R	R	H	I	R	N	T	U	D	U	O	T	O
I	U	T	G	T	E	A	I	S	N	L	N	N	I	B
O	U	S	V	U	L	S	S	O	B	E	A	E	N	R
N	O	I	T	A	L	I	M	I	S	S	A	V	G	Q

AGGREGATE
ANOMIE
ASSIMILATION
AUTHORITY
BOURGEOISIE
CLIQUE
CULTURE
EGO
GENDER ROLE
GROUP DYNAMICS
INNOVATORS
INSTITUTION
NUCLEAR FAMILY
PEER GROUP
REVOLUTION
SETTING
STEREOTYPE
STRATIFICATION
TOTALITARIANISM
URBANISATION
VALUE

No. 20 Competition

CAPTAIN
CLASH
CONFLICT
CONTEST
DEAD HEAT
FIRST PLACE
GRUDGE MATCH
HIGH SCORE
LOSER
OPPOSITION
PRESSURE
RIVALRY
ROUND-ROBIN
RUNNER-UP
SKIPPER
TEAM TALK
TOP SEED
TROPHY
VICTOR
WILD CARD
WOODEN SPOON

No. 21 Castles

A	S	E	Q	X	L	X	M	A	I	D	O	B	T	G
T	D	N	Y	U	W	E	N	T	W	O	R	T	H	U
E	U	O	I	E	N	R	A	F	S	I	D	N	I	L
C	R	D	N	C	L	W	P	S	P	C	Y	O	T	W
O	H	G	E	N	O	E	I	K	L	Y	B	M	H	I
F	A	N	S	O	I	L	D	N	R	N	C	E	U	S
Z	M	I	O	M	W	N	C	N	D	D	R	G	R	F
P	E	R	M	T	A	T	G	H	O	S	W	U	L	F
G	S	A	E	S	R	H	S	T	E	M	O	O	E	I
D	I	F	R	R	W	O	N	M	O	S	L	R	I	D
T	A	C	I	E	I	G	F	R	C	N	T	O	G	R
P	L	W	E	H	C	O	E	K	A	O	S	E	H	A
U	B	Y	S	Z	K	P	S	M	C	F	R	L	R	C
T	A	V	S	I	N	N	E	D	N	E	P	F	V	L
E	B	M	T	P	L	I	R	E	V	E	P	G	E	H

BLAISE
BODIAM
CARDIFF
CHOLMONDELEY
COLCHESTER
CORFE
DONNINGTON
DURHAM
FARINGDON
FARNHAM
HERSTMONCEUX
LINDISFARNE
PECKFORTON
PENDENNIS
PEVERIL
ROUGEMONT
SOMERIES
THURLEIGH
WARWICK
WENTWORTH
WINDSOR

No. 22

Fear

Q	U	R	D	D	C	A	A	L	A	R	M	K	S	Q
S	R	P	I	R	A	V	P	H	V	F	T	V	E	F
R	W	E	T	A	T	E	P	A	G	G	S	K	K	X
E	E	R	A	T	E	R	R	O	R	N	S	U	I	X
C	R	T	U	T	A	S	E	D	C	O	E	N	L	M
N	A	U	N	S	S	I	H	M	J	I	R	E	S	S
A	M	R	S	T	P	O	E	F	B	S	T	A	I	I
N	T	B	E	O	H	N	N	O	V	L	S	S	D	A
G	H	A	T	L	P	G	S	P	O	U	I	I	I	R
U	G	T	T	S	I	M	I	J	S	V	D	N	S	L
P	I	I	L	C	A	O	O	R	R	E	D	E	G	Q
E	N	O	I	R	G	R	N	C	F	R	T	S	U	V
R	N	N	N	E	R	V	O	U	S	N	E	S	S	X
E	A	T	G	Z	A	E	M	O	T	I	O	N	T	G
P	J	B	N	T	E	I	U	Q	S	I	D	T	C	K

ALARM
APPREHENSION
AVERSION
DISCOMPOSURE
DISGUST
DISLIKE
DISQUIET
DISTRESS
DREAD
EMOTION
FRIGHT
NERVOUSNESS
NIGHTMARE
PANIC
PERTURBATION
REPUGNANCE
REVULSION
TERROR
TREMBLING
UNEASINESS
UNSETTLING

No. 23

Lots Of Water!

B L A K E O N T A R I O S R Y
A A P D L A N A C Z E U S A A
E I L E R A E S N A M S A T B
N S A T R I V E R S E V E R N
I A K L I S A E S D A E D I O
N A E C O C I T N A L T A V S
D E S C A C S A I U S T O E D
I S U B O E H E N C J C L R U
A N P P L C S N A G S E Z T H
N A E E G A I H E V U E O H R
O I R M R X C F T S E L A A E
C P I X W L B K I R S K F M D
E S O U M J V A S C O S K E S
A A R C T I C O C E A N T S E
N C P I R I S H S E A P J T A

ADRIATIC SEA
ARCTIC OCEAN
ATLANTIC OCEAN
BALTIC SEA
BLACK SEA
CASPIAN SEA
DEAD SEA
HUDSON BAY
INDIAN OCEAN
IRISH SEA
LAKE ONTARIO
LAKE SUPERIOR
LOCH NESS
NORTH SEA
PACIFIC OCEAN
PERSIAN GULF
RED SEA
RIVER SEVERN
RIVER THAMES
SUEZ CANAL
TASMAN SEA

No. 24 Sweet Foods

ANGEL CAKE
BANANA SPLIT
BIRTHDAY CAKE
BUTTERCREAM
CARAMEL
CARROT CAKE
CHOCOLATE
COFFEE CAKE
DOUGHNUT
FONDANT
FUDGE
GANACHE
HONEY
MARMALADE
MERINGUE
ROLY-POLY
SHERBET
SUGAR
SWISS ROLL
TOFFEE
TREACLE

No. 25 'B' Cities

A	V	P	U	E	H	I	S	F	V	C	E	G	R	R
P	I	T	R	B	E	R	K	E	L	E	Y	R	S	U
X	O	C	S	J	O	E	E	D	G	S	L	D	J	W
Z	A	M	S	U	A	N	N	U	T	I	A	E	I	E
O	B	L	O	E	M	F	O	N	T	E	I	N	A	M
T	L	G	L	F	R	R	H	T	A	B	R	A	N	I
X	I	W	V	P	N	B	B	V	P	E	B	B	G	C
C	B	D	R	O	F	D	A	R	B	M	S	S	O	B
D	U	E	T	K	E	K	H	S	I	B	A	I	L	Q
Z	B	A	L	T	I	M	O	R	E	G	P	R	O	I
A	B	A	N	G	A	L	O	R	E	L	H	B	B	B
S	L	U	U	L	R	E	D	L	U	O	B	T	S	L
Q	B	U	L	A	W	A	Y	O	Z	U	E	P	O	L
E	R	R	U	E	P	V	D	T	D	G	T	P	D	N
R	J	X	T	S	A	F	L	E	B	A	M	A	K	O

BALTIMORE
BAMAKO
BANGALORE
BASEL
BATH
BATON ROUGE
BELFAST
BELGRADE
BERKELEY
BILBAO
BISHKEK
BLOEMFONTEIN
BOISE
BOLOGNA
BOULDER
BRADFORD
BRAMPTON
BRESCIA
BRIGHTON
BRISBANE
BULAWAYO

No. 26

Marketing

AMAZING VALUE
BARGAIN
BEST EVER
BRAND NEW
DISCOUNT
DYNAMIC
EASY

ESSENTIAL
EXCITING
EXCLUSIVE
FREE
HALF-PRICE
IMPROVED RECIPE
MUST-HAVE

QUALITY
SALE
SUPERB
TIME-LIMITED
TODAY ONLY
UNBEATABLE
WONDERFUL

No. 27 Rivers Of The World

T	O	A	L	A	U	Z	U	I	Z	E	B	M	A	Z
R	S	V	I	F	I	F	R	S	S	C	O	O	T	O
Z	A	C	P	R	T	N	L	R	Q	H	P	S	C	G
Q	Y	L	O	A	A	N	I	K	E	Q	I	O	X	X
L	R	U	A	M	A	Z	O	N	V	A	N	M	X	K
J	Z	W	K	E	E	R	Y	A	N	G	T	Z	E	A
L	T	O	P	O	P	M	I	L	O	R	U	U	I	I
S	W	L	S	N	N	V	L	E	R	A	P	Q	Z	L
P	D	L	U	I	Q	V	F	B	D	H	C	O	N	R
L	E	E	D	L	R	I	O	G	R	A	N	D	E	S
U	G	Y	N	E	E	W	L	A	S	H	M	R	K	O
M	N	P	I	L	P	T	T	O	L	U	T	J	C	P
B	A	U	L	E	R	E	G	I	N	S	R	F	A	A
A	R	K	A	N	S	A	S	A	U	K	P	U	M	T
V	O	L	G	A	S	V	R	T	K	I	R	U	P	T

AMAZON
ARKANSAS
CONGO
EUPHRATES
INDUS
ISHIM
LENA

LIMPOPO
MACKENZIE
MADEIRA
NIGER
NILE
ORANGE
PURUS

RIO GRANDE
SALWEEN
VOLGA
YANGTZE
YELLOW
YUKON
ZAMBEZI

No. 28 **Jobs**

G	H	C	Y	T	C	R	U	D	P	R	O	M	S	E
A	Q	R	L	S	H	G	S	I	K	O	Y	H	Z	I
U	Z	D	S	I	E	N	R	K	R	T	R	B	I	A
D	L	O	Z	T	M	J	A	R	E	C	N	A	D	W
A	R	C	A	R	I	A	H	I	L	A	W	K	E	G
R	D	T	S	A	S	P	T	J	C	L	U	E	C	P
H	Y	O	R	E	T	C	I	O	L	I	E	G	O	C
V	R	R	T	R	C	P	F	L	L	U	S	D	N	A
P	Y	E	A	G	L	R	T	A	O	O	I	U	O	R
A	F	G	N	U	R	S	E	S	R	T	G	J	M	P
A	I	S	M	G	T	R	M	T	Y	M	T	I	I	E
I	U	B	B	R	I	C	K	L	A	Y	E	R	S	N
S	E	T	A	U	Q	S	A	G	P	R	J	R	T	T
R	R	E	T	R	O	P	E	R	T	B	Y	Y	B	E
V	U	T	S	I	T	N	E	D	X	D	L	T	X	R

ACTOR
ACTUARY
ARTIST
BRICKLAYER
CARPENTER
CHEMIST
CLIMATOLOGIST
DANCER
DENTIST
DESIGNER
DOCTOR
ECONOMIST
FARMER
JUDGE
MUSICIAN
NURSE
PAYROLL CLERK
PILOT
PLUMBER
REPORTER
SECRETARY

No. 29 On Holiday

L	S	C	R	E	N	I	H	S	N	U	S	L	R	B
F	U	R	A	E	X	G	N	I	M	M	I	W	S	R
O	N	O	O	M	S	P	P	F	K	P	M	E	P	E
P	G	W	S	E	P	T	L	I	L	I	U	J	I	L
J	L	I	U	E	V	I	A	O	R	R	N	V	R	A
E	A	N	S	N	L	O	N	U	R	P	R	G	T	X
U	S	G	P	H	O	T	O	G	R	A	P	H	Y	A
C	S	T	N	E	M	E	S	U	M	A	T	P	A	T
E	E	F	L	O	G	Y	Z	A	R	C	N	I	D	I
B	S	P	M	A	E	R	C	E	C	I	F	T	O	O
R	R	B	P	O	S	T	C	A	R	D	S	E	S	N
A	T	D	K	I	T	E	F	L	Y	I	N	G	L	A
B	E	A	C	H	V	O	L	L	E	Y	B	A	L	L
O	P	R	Y	T	S	R	I	N	E	V	U	O	S	O
O	A	G	N	I	L	D	D	A	P	P	D	L	S	F

AMUSEMENTS
BARBECUE
BEACH VOLLEYBALL
CAMPING
CRAZY GOLF
DAY TRIPS
EXPLORATION
HIKING
ICE CREAM
KITE FLYING
PADDLING
PHOTOGRAPHY
POSTCARDS
RELAXATION
RESTAURANTS
ROWING
SANDCASTLES
SOUVENIRS
SUNGLASSES
SUNSHINE
SWIMMING

No. 30

High-calorie Foods

BACON
BRAZIL NUTS
CHEESE
CHOCOLATE
COCONUT MILK
CREAM
CRISPS
DRIPPING
HAMBURGER
KEBABS
MACADAMIA NUTS
MINCE PIES
OLIVE OIL
ONION RINGS
PEANUT BUTTER
PECANS
PIZZA
PORK PIE
PORK SCRATCHINGS
PUFF PASTRY
QUICHE

No. 31 All About Aristotle

N	S	G	P	K	O	N	D	R	E	A	M	S	J	D
M	S	G	O	H	E	I	A	E	O	S	E	S	H	U
F	L	O	L	L	I	O	P	T	I	C	S	C	Z	L
J	E	V	S	T	D	L	R	G	L	I	I	I	J	M
L	C	E	V	C	A	E	O	N	R	S	R	T	S	R
S	I	R	U	T	I	L	N	S	H	Y	H	I	U	I
U	R	N	O	T	L	N	E	M	O	H	H	L	N	S
O	O	M	G	Y	R	T	A	P	E	P	I	O	I	R
U	T	E	S	U	A	I	P	H	R	A	H	P	V	S
W	E	N	H	R	I	O	V	O	C	T	N	E	E	S
Y	H	T	C	I	E	S	M	G	R	E	E	K	R	C
G	R	O	U	T	D	O	T	I	R	M	M	B	S	S
I	S	S	R	A	L	U	C	I	T	R	A	P	A	P
Y	N	Y	X	Y	C	H	A	N	C	E	A	C	L	R
B	E	T	H	I	C	S	R	E	W	S	N	U	S	O

CHANCE
ETHICS
GOLDEN MEAN
GOVERNMENT
GREEK
HYLOMORPHISM
LINGUISTICS
MECHANICS
METAPHYSICS
ON DREAMS
OPTICS
PARTICULARS
PHILOSOPHER
PLATO
POETRY
POLITICS
RHETORIC
SOCRATES
SYLLOGISM
UNIVERSALS
VIRTUE

No. 32 Famous Walls

R	K	R	E	M	L	I	N	K	I	R	F	G	W	X
E	P	M	Y	M	D	T	H	A	D	R	I	A	N	S
A	R	I	X	O	I	N	E	D	D	O	L	F	A	I
N	A	I	L	E	R	U	A	S	I	L	E	S	I	A
T	L	R	C	L	X	T	W	E	S	T	E	R	N	S
O	H	C	I	R	E	J	F	O	S	L	L	A	W	E
N	B	W	D	K	I	N	F	O	H	O	M	T	N	T
I	W	F	S	T	A	S	A	T	S	A	N	R	R	F
N	L	P	R	Q	T	B	X	A	W	L	I	A	N	A
E	I	Z	R	O	A	A	R	Y	I	I	L	J	P	L
C	I	T	N	A	L	T	A	A	Y	V	R	A	P	T
N	A	I	V	R	E	S	O	K	Y	A	E	N	W	T
U	Y	T	I	C	K	R	O	Y	A	I	B	S	W	U
P	R	L	L	A	W	T	A	E	R	G	D	L	O	R
N	K	O	S	T	N	E	P	R	E	S	R	L	K	D

ANTONINE
ATLANTIC
AURELIAN
AVILA
BERLIN
DIYARBAKIR
FLODDEN
GREAT WALL
HADRIAN'S
KREMLIN
SAKSAYWAMAN
SERPENT'S
SERVIAN
SILESIA
TRAJAN'S
VIA ANELLI
WALLS OF JERICHO
WALLS OF STON
WALLS OF TROY
WESTERN
YORK CITY

No. 33 Wine

S	O	J	C	M	Y	I	M	P	C	B	Z	X	Y	T
O	L	H	N	H	E	D	R	I	O	J	A	U	A	U
R	Y	C	A	B	E	R	N	E	T	F	R	A	N	C
Z	U	D	L	R	S	N	L	U	R	T	I	E	N	H
I	S	S	B	I	I	I	I	O	G	G	H	D	O	I
N	O	M	N	E	R	S	A	N	T	R	S	R	D	A
F	R	O	O	S	G	T	E	L	B	B	U	O	R	N
A	C	S	N	L	T	O	X	T	O	L	T	B	A	T
N	Y	C	G	I	O	P	L	O	I	J	A	O	H	I
D	M	A	I	N	N	R	T	O	C	T	U	N	C	M
E	G	T	V	G	I	L	A	U	I	U	E	A	C	A
L	T	O	U	Z	P	I	Z	B	J	B	R	P	E	L
P	L	H	A	U	T	B	R	I	O	N	B	S	D	B
C	R	L	S	A	N	G	I	O	V	E	S	E	I	E
L	Q	W	K	G	S	G	Z	L	R	Q	C	S	N	C

BAROLO
BEAUJOLAIS
BORDEAUX
BURGUNDY
CABERNET FRANC
CHARDONNAY
CHENIN BLANC

CHIANTI
HAUT-BRION
MALBEC
MERLOT
MOSCATO
NEBBIOLO
PETITE SIRAH

PINOT GRIS
RIESLING
RIOJA
SANGIOVESE
SAUVIGNON BLANC
SHIRAZ
ZINFANDEL

No. 34

Fancy A Biscuit?

BATH OLIVER
BISCOTTI
BOURBON
BRANDY SNAP
DIGESTIVE
FIG ROLL
GARIBALDI
GINGERBREAD
HOBNOB
JAFFA CAKE
JAMMIE DODGER
LINCOLN
MALTED MILK
NICE
PENGUIN
PINK WAFER
RICH TEA
SHORTBREAD
VIENNESE WHIRL
WAGON WHEEL
WATER BISCUIT

No. 35 Home Buying And Mortgages

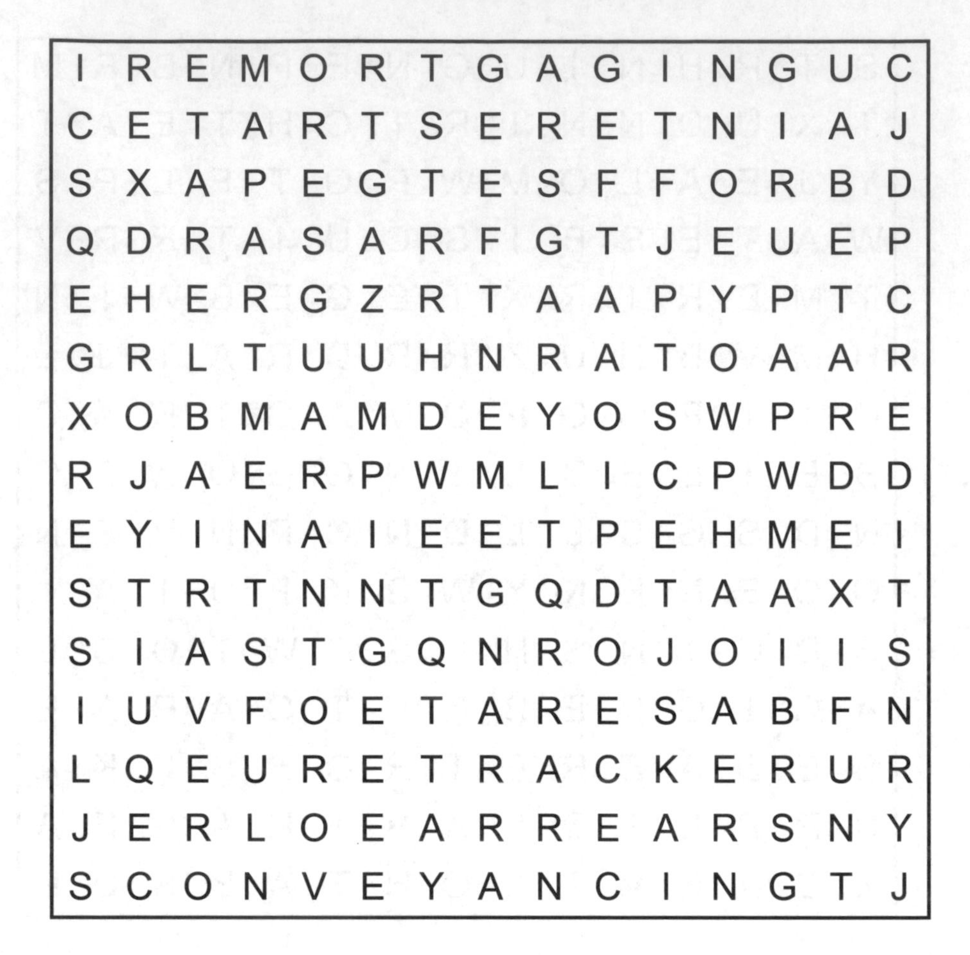

APARTMENT
ARRANGEMENT FEE
ARREARS
BASE RATE
BUY-TO-LET
CAPPED RATE
CHAIN
CONVEYANCING
CREDIT
DEPOSIT
EQUITY
FIXED RATE
GAZUMPING
GUARANTOR
HELP TO BUY
INTEREST RATE
OFFSET
REMORTGAGING
REPAYMENT FEES
TRACKER
VARIABLE RATE

No. 36 Counties Of Ireland

CARLOW
CORK
DONEGAL
DOWN
DUBLIN
FERMANAGH
GALWAY
KERRY
KILKENNY
LONGFORD
LOUTH
MAYO
OFFALY
ROSCOMMON
SLIGO
TIPPERARY
TYRONE
WATERFORD
WESTMEATH
WEXFORD
WICKLOW

No. 37 Flying

A	L	A	D	I	T	N	O	I	T	A	I	V	A	T
G	N	I	S	I	U	R	C	M	E	L	J	F	O	O
Q	R	R	V	T	Y	E	W	Y	U	U	R	U	E	L
S	E	L	I	L	P	T	E	I	H	A	C	E	N	I
T	C	I	R	E	Y	T	V	S	N	H	F	N	G	P
R	H	N	N	B	T	A	R	E	D	G	K	R	I	R
A	C	E	C	T	T	P	W	O	L	N	S	O	N	M
O	A	F	O	A	U	G	W	N	I	O	F	B	E	D
Q	O	F	R	E	B	N	X	H	U	L	C	R	D	C
C	R	O	S	S	W	I	N	D	E	R	O	I	U	F
I	P	E	G	N	I	D	N	A	L	E	R	A	T	T
N	P	K	S	T	T	L	J	C	D	T	L	H	I	Y
E	A	A	T	V	X	O	T	S	R	E	I	S	T	X
U	D	T	S	U	R	H	T	A	Z	E	I	E	L	L
M	F	W	J	R	T	Q	J	U	T	N	W	G	A	S

AIRBORNE
AIRLINE
ALTITUDE
APPROACH
AVIATION
CABIN CREW
CROSSWIND
CRUISING
ENGINE
HOLDING PATTERN
LANDING
LONG HAUL
PILOT
RUNWAY
SEAT BELT
TAKE-OFF
THRUST
TOUCHDOWN
VELOCITY
WHEELS
WINGS

No. 38 New Zealand Prime Ministers

BILL ENGLISH
BILL ROWLING
DANIEL POLLEN
DAVID LANGE
FRANCIS BELL
GEORGE FORBES
GEORGE GREY
GORDON COATES
HELEN CLARK
JACK MARSHALL
JENNY SHIPLEY
JIM BOLGER
JOHN BALLANCE
JOHN HALL
JOHN KEY
JOSEPH WARD
MIKE MOORE
NORMAN KIRK
PETER FRASER
RICHARD SEDDON
ROBERT STOUT

No. 39 British TV Series

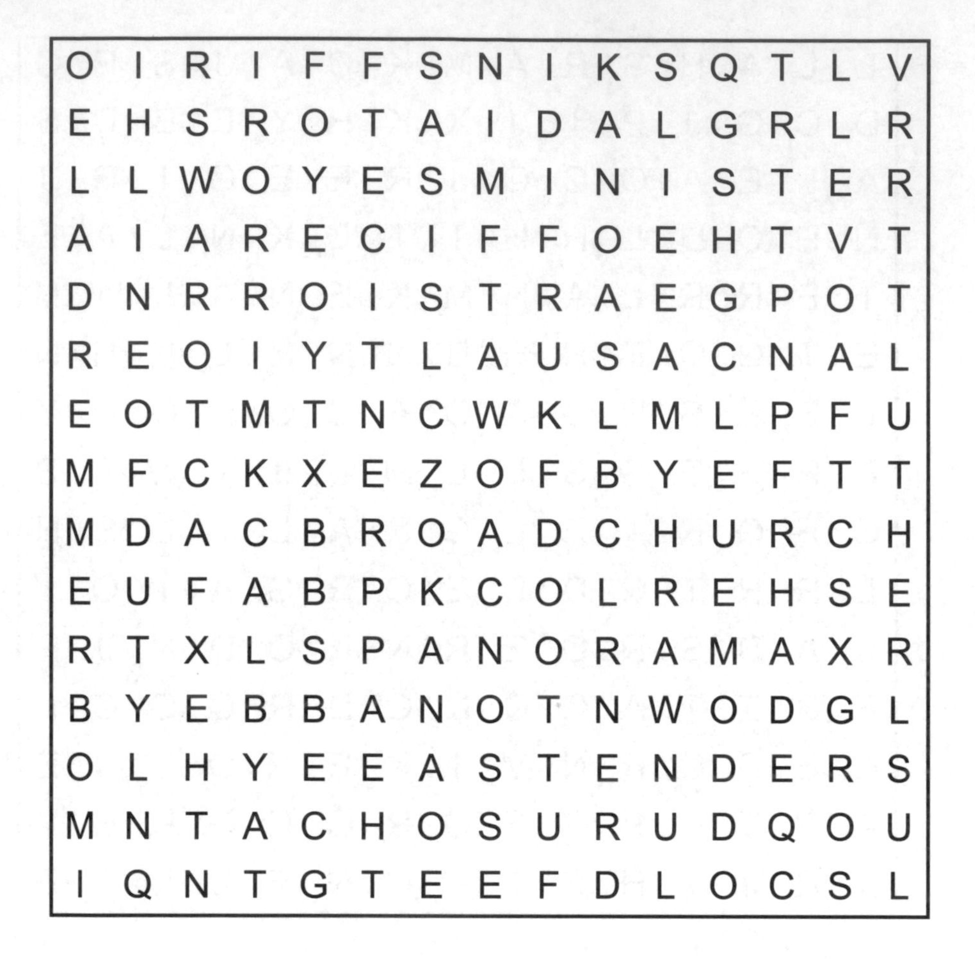

O	I	R	I	F	F	S	N	I	K	S	Q	T	L	V
E	H	S	R	O	T	A	I	D	A	L	G	R	L	R
L	L	W	O	Y	E	S	M	I	N	I	S	T	E	R
A	I	A	R	E	C	I	F	F	O	E	H	T	V	T
D	N	R	R	O	I	S	T	R	A	E	G	P	O	T
R	E	O	I	Y	T	L	A	U	S	A	C	N	A	L
E	O	T	M	T	N	C	W	K	L	M	L	P	F	U
M	F	C	K	X	E	Z	O	F	B	Y	E	F	T	T
M	D	A	C	B	R	O	A	D	C	H	U	R	C	H
E	U	F	A	B	P	K	C	O	L	R	E	H	S	E
R	T	X	L	S	P	A	N	O	R	A	M	A	X	R
B	Y	E	B	B	A	N	O	T	N	W	O	D	G	L
O	L	H	Y	E	E	A	S	T	E	N	D	E	R	S
M	N	T	A	C	H	O	S	U	R	U	D	Q	O	U
I	Q	N	T	G	T	E	E	F	D	L	O	C	S	L

BLACK MIRROR
BROADCHURCH
CASUALTY
COLD FEET
DOCTOR WHO
DOWNTON ABBEY
EASTENDERS
EMMERDALE
GLADIATORS
LINE OF DUTY
LUTHER
ONLY CONNECT
PANORAMA
SHERLOCK
SKINS
SPOOKS
THE APPRENTICE
THE OFFICE
THE X FACTOR
TOP GEAR
YES MINISTER

No. 40 Things You Might Buy

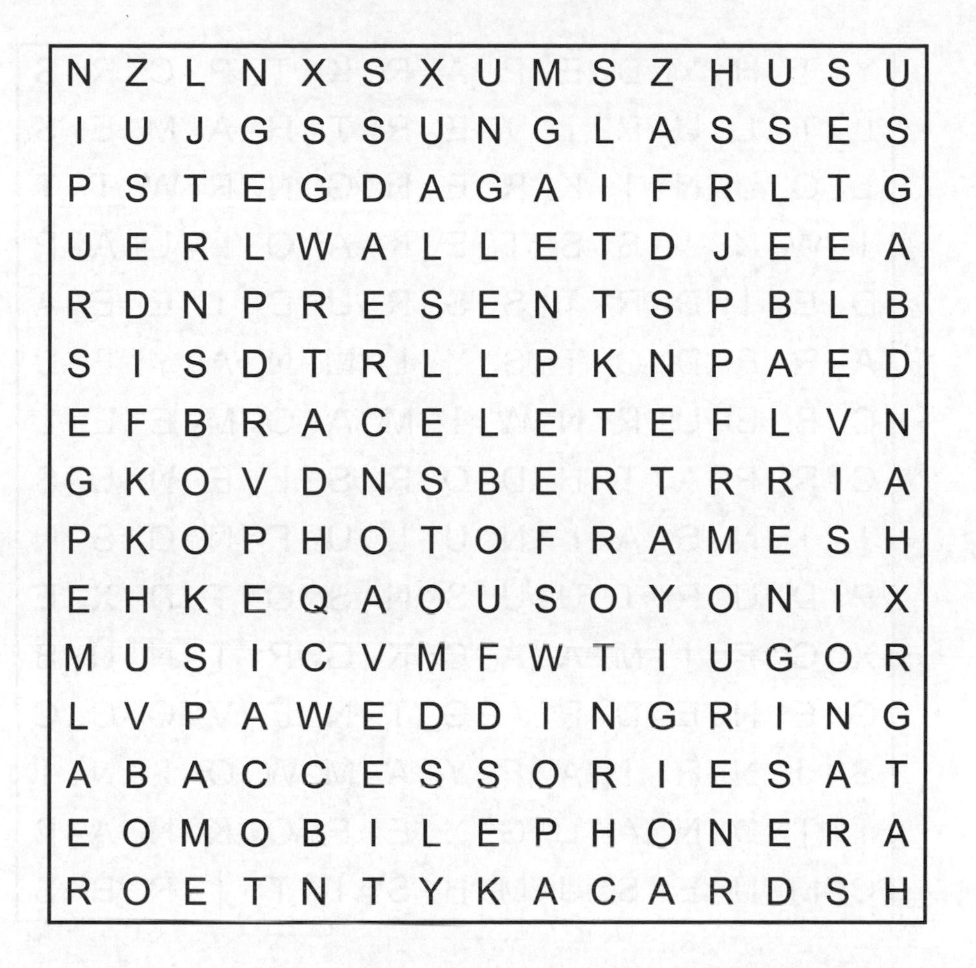

ACCESSORIES
BOOKS
BRACELET
CARDS
DESIGNER LABELS
DRESS
FOOD
GADGETS
HANDBAGS
JEWELLERY
MOBILE PHONE
MUSIC
PENDANT
PERFUME
PHOTO FRAMES
PRESENTS
PURSE
SUNGLASSES
TELEVISION
WALLET
WEDDING RING

No. 41 Around London

Y	T	H	Y	D	E	P	A	R	K	T	P	C	R	S
L	T	L	U	R	I	V	E	R	T	H	A	M	E	S
L	O	U	N	I	K	R	E	H	G	N	R	W	T	T
I	W	N	I	S	S	T	E	K	A	O	L	L	A	P
D	E	I	D	R	T	S	S	R	U	D	I	E	E	A
A	R	R	D	O	T	S	Y	L	M	N	A	Y	F	U
C	B	B	U	R	N	W	I	M	A	O	M	E	E	L
C	R	P	A	T	H	D	O	R	S	L	E	N	E	S
I	I	N	S	A	L	N	U	L	U	F	N	O	B	N
P	D	U	R	T	U	U	S	N	S	O	T	D	X	E
X	G	F	I	M	A	A	C	K	G	R	T	N	U	B
G	E	N	E	D	R	A	G	T	N	E	V	O	C	G
S	J	N	R	I	A	F	Y	A	M	W	O	L	N	I
I	T	D	N	A	L	G	N	E	F	O	K	N	A	B
C	M	U	E	S	U	M	H	S	I	T	I	R	B	S

BANK OF ENGLAND
BEEFEATER
BIG BEN
BRITISH MUSEUM
CANARY WHARF
COVENT GARDEN
CULTURE
GHERKIN
HYDE PARK
LONDON DUNGEON
LONDON EYE
MAYFAIR
MONUMENT
PARLIAMENT
PICCADILLY
RIVER THAMES
ST PAUL'S
THE STRAND
TOURISTS
TOWER BRIDGE
TOWER OF LONDON

No. 42 Hamlet

BERNARDO
CLAUDIUS
CORNELIUS
DENMARK
FORTINBRAS
FRANCISCO
GERTRUDE
GRAVEDIGGERS
GRIEF
HORATIO
LAERTES
MADNESS
MARCELLUS
OPHELIA
PLAY
POLONIUS
REVENGE
REYNALDO
ROSENCRANTZ
THRONE
TRAGEDY

No. 43

Bee Species

ALKALI
BUFF-TAILED
BUMBLEBEE
COMMON CARDER
COMMON MASON
DAISY CARPENTER
EARLY MINING
HEATH
HILL CUCKOO
HONEY
LARGE GARDEN
MOSS CARDER
RED MASON
RED-TAILED
SHRILL CARDER
SWEAT
TAWNY MINING
TREE
WHITE-TAILED
WOOL CARDER
YELLOW-FACED

No. 44 Watching A Western

BILLY THE KID
BLAZING SADDLES
EL DORADO
EL MARIACHI
EL TOPO
GERONIMO
HIGH NOON
LONE STAR
NED KELLY
OPEN RANGE
PANCHO VILLA
RED RIVER
RIO BRAVO
SHANE
SILVERADO
SOLDIER BLUE
STAGECOACH
THE ALAMO
TOMBSTONE
TRUE GRIT
UNFORGIVEN

No. 45 Colleges Of Oxford University

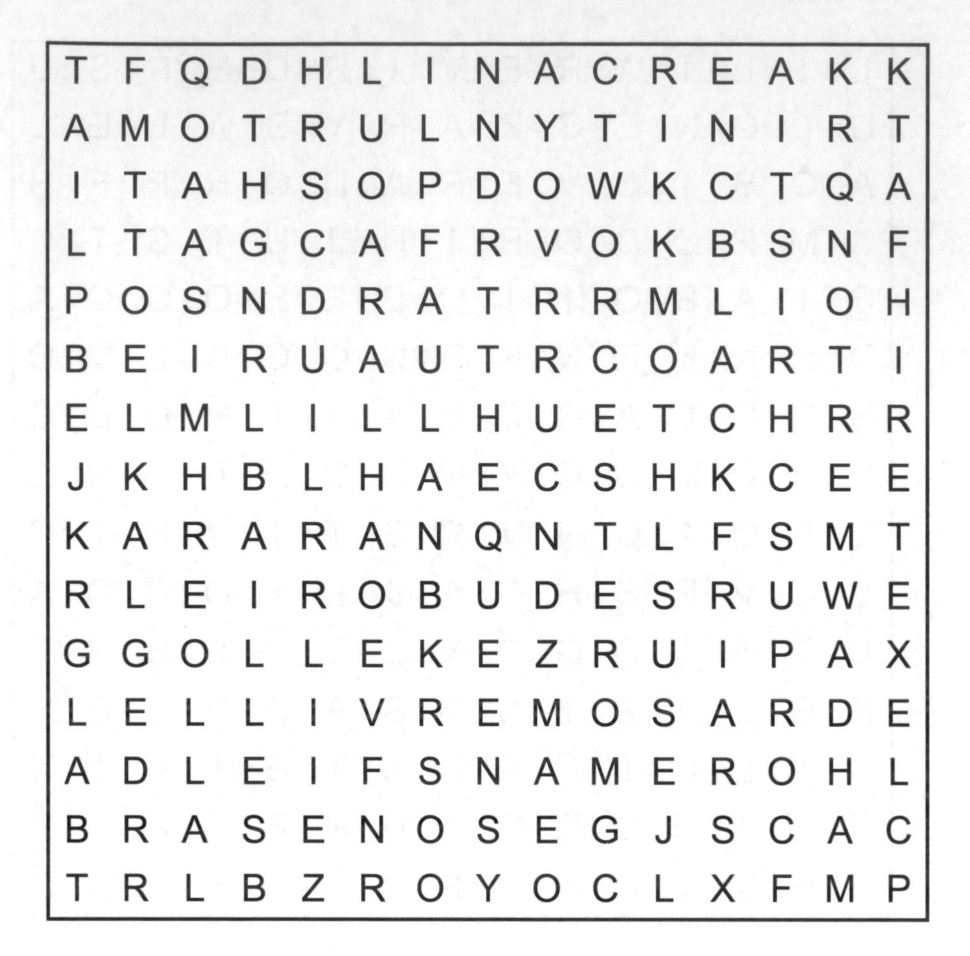

BALLIOL
BLACKFRIARS
BRASENOSE
CHRIST CHURCH
CORPUS CHRISTI
EXETER
HERTFORD

JESUS
KELLOGG
LINACRE
LINCOLN
MAGDALEN
MANSFIELD
MERTON

ORIEL
PEMBROKE
SOMERVILLE
THE QUEEN'S
TRINITY
WADHAM
WORCESTER

No. 46 **On A Coach Trip**

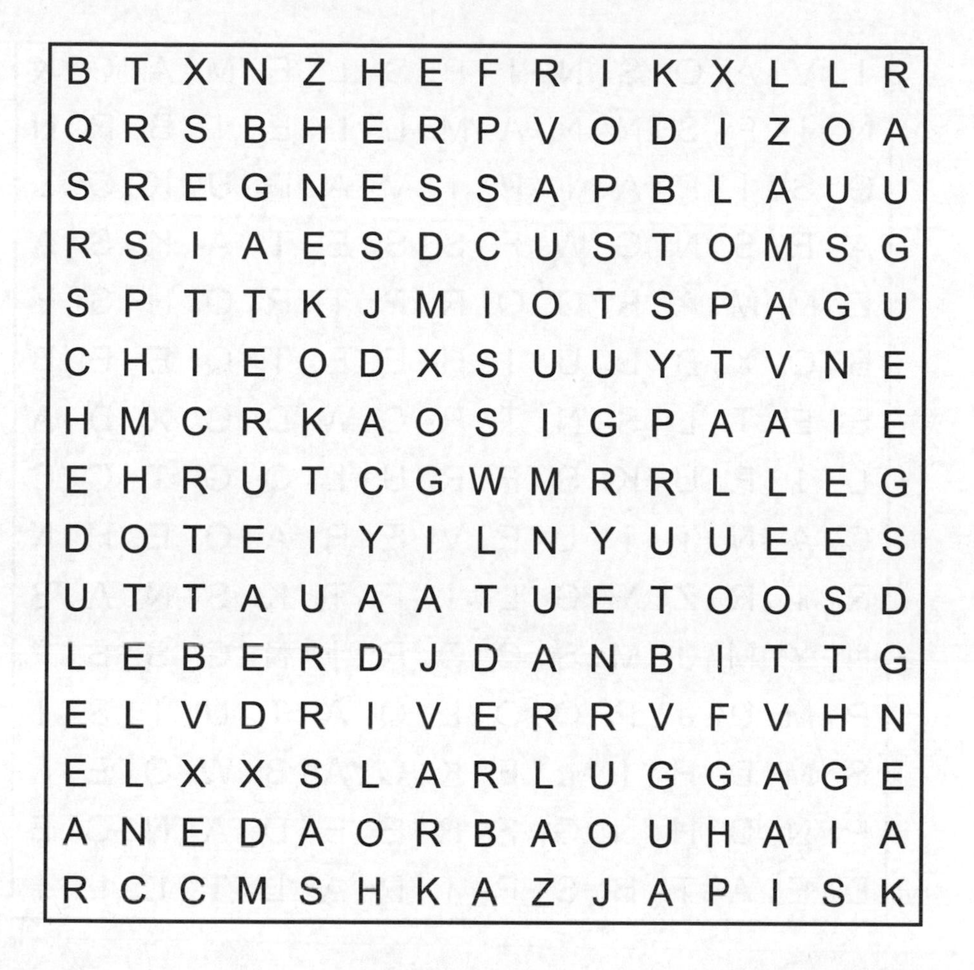

ABROAD
BREAKDOWN
CITIES
COUPLES
CUSTOMS
DAY TRIP
DELAY

DRIVER
FREE TIME
HOLIDAY
HOTEL
JOURNEY
LUGGAGE
PASSENGERS

SCHEDULE
SEATS
SIGHTSEEING
SOCIABLE
TICKETS
TOUR GUIDE
TOURISM

No. 47 Ice Skating

I	V	A	O	S	N	I	P	S	L	E	M	A	C	K
N	I	P	S	N	N	A	M	L	L	E	I	B	R	N
G	S	I	P	A	I	P	I	V	A	D	U	K	O	L
A	E	S	N	G	W	F	S	S	E	T	A	K	S	A
E	M	M	A	R	G	O	R	P	T	R	O	H	S	Y
B	Q	X	B	U	U	I	H	E	E	T	Q	E	E	B
E	E	T	L	S	N	T	R	C	W	D	G	X	D	A
L	I	R	U	K	S	F	R	U	L	Q	G	T	C	C
C	A	N	T	I	L	E	V	E	R	A	O	E	H	K
R	I	R	Z	Y	G	L	I	F	T	K	S	N	A	S
N	Y	M	J	M	S	C	O	R	I	N	G	S	S	P
P	M	U	J	P	O	O	L	Q	A	T	U	I	S	I
S	M	D	P	I	L	F	K	C	A	B	W	O	E	N
P	N	D	H	N	G	F	R	E	E	D	A	N	C	E
D	E	A	T	H	S	P	I	R	A	L	T	L	L	I

AXEL
BACKFLIP
BIELLMANN SPIN
BUTTERFLY JUMP
CAMEL SPIN
CANTILEVER
COUNTER TURN
CROSSED CHASSE
DEATH SPIRAL
EDGE
EXTENSION
FREE DANCE
LAYBACK SPIN
LIFT
LOOP JUMP
LUTZ
RINK
SALCHOW
SCORING
SHORT PROGRAMME
SKATES

No. 48 Cocktail Menu

S	M	U	D	S	L	I	D	E	M	O	N	Z	S	X
E	L	P	I	S	C	O	S	O	U	R	Y	T	S	R
T	E	V	L	E	V	K	C	A	L	B	E	F	L	W
S	I	N	G	A	P	O	R	E	S	L	I	N	G	I
A	M	T	P	I	N	K	G	I	N	R	I	R	P	R
E	K	A	U	Q	H	T	R	A	E	N	A	E	A	I
S	L	I	R	T	P	L	E	F	L	S	W	G	R	U
T	U	X	T	G	W	O	L	R	S	N	A	I	A	Q
B	A	T	I	D	A	Y	L	H	S	M	H	B	D	I
L	E	M	O	N	D	R	O	P	A	P	E	S	I	A
G	Y	A	C	L	T	P	I	R	B	Y	U	O	S	D
Y	K	S	A	U	P	T	T	T	B	U	L	N	E	S
V	U	O	P	E	A	I	X	S	A	O	B	N	C	G
A	T	I	R	A	N	A	N	A	B	H	R	A	W	H
A	Y	Z	I	I	D	N	U	O	H	D	O	O	L	B

BANANARITA
BATIDA
BLACK VELVET
BLOODHOUND
BLUE HAWAII
CAPRI
DAIQUIRI
EARTHQUAKE
FIREFLY
GIBSON
GRASSHOPPER
LEMON DROP
MARGARITA
MARTINI
MUDSLIDE
PARADISE
PINK GIN
PISCO SOUR
PLANTER'S PUNCH
ROB ROY
SINGAPORE SLING

No. 49 Birdwatching

R	N	U	X	W	W	H	R	C	F	E	A	B	I	B
T	O	E	O	A	T	K	K	H	D	L	E	S	N	I
S	I	D	E	N	T	I	F	I	C	A	T	I	O	N
W	T	I	K	Z	X	M	S	C	K	G	G	R	P	O
X	A	H	D	Y	P	P	P	K	A	N	N	E	Q	C
O	R	E	A	R	L	A	H	S	E	I	O	S	P	U
W	G	D	A	A	T	G	O	S	T	T	S	E	U	L
A	I	G	Y	I	O	N	T	H	W	H	D	R	U	A
R	M	D	E	V	V	I	O	A	I	G	R	V	E	R
B	P	N	A	A	N	L	G	B	T	I	I	E	G	S
L	C	A	O	G	O	G	R	I	C	S	B	U	A	Q
E	M	A	B	G	S	D	A	T	H	U	N	L	M	A
R	S	O	Y	S	W	E	P	A	E	T	E	I	U	Q
E	X	P	N	J	E	L	H	T	R	K	J	S	L	U
T	X	I	L	S	E	F	Y	O	P	T	T	Y	P	O

AVIARY
BEAK
BINOCULARS
BIRDSONG
CHICKS
DISPLAY
FLEDGLING
HABITAT
HIDE
IDENTIFICATION
MIGRATION
NESTING BOX
ORNITHOLOGY
PATIENCE
PHOTOGRAPHY
PLUMAGE
QUIET
RESERVE
SIGHTING
TWITCHER
WARBLER

No. 50

Trees

B	R	S	T	E	M	I	L	N	O	M	M	O	C	F
H	N	Y	Y	L	L	O	H	F	U	B	R	S	E	S
R	B	A	D	A	B	P	U	Q	R	O	A	A	D	N
G	E	O	S	I	M	K	P	S	W	W	A	C	A	H
L	E	D	R	O	J	R	R	A	L	P	O	P	R	W
D	C	C	L	B	T	U	N	M	B	Z	J	S	U	Q
O	H	C	H	E	S	T	N	U	T	A	K	S	A	M
G	L	F	Y	E	U	T	C	I	E	J	R	S	C	I
W	U	K	N	A	R	K	U	N	P	D	P	C	E	D
O	L	O	A	B	T	R	E	P	U	E	S	L	X	L
O	O	I	G	H	T	D	Y	I	N	U	R	C	T	T
D	A	H	O	R	N	B	E	A	M	W	E	P	Q	F
R	R	R	H	A	W	T	H	O	R	N	D	T	S	O
E	N	F	A	S	K	X	G	G	V	R	L	T	S	A
Q	S	A	M	A	A	S	L	I	A	O	A	C	V	A

ALDER
ASH
ASPEN
BEECH
BIRCH
BUCKTHORN
CEDAR
CHERRY
CHESTNUT
COMMON LIME
CRAB APPLE
DOGWOOD
ELDER
HAWTHORN
HOLLY
HORNBEAM
JUNIPER
MAHOGANY
OAK
POPLAR
ROWAN

No. 51 Lots Of Enzymes

S B P S P V O X I D A S E Q A
Z R S E F S D Y F G T I R Z S
Z E O O A V L L Y S O Z Y M E
D A P L A C T A S E P Q A S S
B T J R E N I N I A P L A C A
Y E S A L Y M A S K T D T E L
E Z L S C C M S R A I Z H T A
C S S S H E P E S N P Y H L T
A P A U I L E E O R D E K J A
R X R P T L F R O R L H I X C
I A A P I U U T O I R H N Z R
N T Y W N L E L C V Q C A R H
U I A J A A A A U P E P S I N
S C O Y S S S U C R A S E S W
D H H E E E S A T S A I D M R

AMYLASE
CALPAIN
CATALASE
CELLULASE
CHITINASE
DIASTASE
ECARIN
HELICASE
HYALURONIDASE
HYDROLASE
KINASE
LACTASE
LIPASE
LYSOZYME
MALTASE
OXIDASE
PEPSIN
PROTEASE
RENIN
SUCRASE
XYLANASE

No. 52 At A Spa

B N L A I C A F E N G S H U I
K D E G N U L P D L O C A E Z
I Y S M T P A M P E R I N G Z
B G A E T N E E R G O B U A U
N O I T A I L O F X E O A S C
N L T E H W T D S K O R S S A
E O Z A I E E O W E R E D A J
G X I A N T R E Z I T A R M N
M E B T O I L A D U R A O U I
M L U X A L C W P W N U L T C
R F R O N X A A H Y R Q T I O
Y E C E T X A A L T W A O I P
A R S G I I G L D S T P P S T
I S T N E M T A E R T V I S I
E A G S X A R R L R P S A K O

AQUA AEROBICS
BOTANICALS
COLD PLUNGE
DETOX
EXFOLIATION
FACIAL
FENG SHUI
GREEN TEA
JACUZZI
MASSAGE
PAMPERING
PILATES
REFLEXOLOGY
RELAXATION
SAUNA
SCRUB
SEAWEED WRAP
THERAPY
TREATMENT
WAXING
WELLNESS

No. 53

Olympic Sports

S	L	L	A	B	T	O	O	F	A	G	G	N	G	A
O	S	L	Y	O	P	I	J	X	T	E	N	N	I	S
W	E	Y	A	N	A	T	H	L	E	T	I	C	S	T
A	G	S	R	B	O	X	I	N	G	T	L	A	H	E
T	L	N	X	E	Y	T	Y	A	F	T	C	A	O	P
E	N	A	I	W	H	E	N	I	Q	Z	Y	U	O	M
R	O	A	D	C	Y	C	L	I	N	G	C	U	T	Q
P	L	G	I	O	N	T	R	L	M	Q	K	I	I	H
O	T	L	A	R	H	E	P	A	O	D	C	R	N	C
L	G	T	A	G	T	V	F	U	A	V	A	L	G	N
O	N	I	I	B	S	S	R	E	O	I	R	B	N	H
N	I	E	Z	S	D	N	E	A	L	E	T	S	I	J
S	W	I	M	M	I	N	G	U	C	S	R	E	V	A
T	O	G	N	I	L	I	A	S	Q	T	A	I	I	C
F	R	O	Y	E	K	C	O	H	D	E	J	U	D	O

ARCHERY
ATHLETICS
BADMINTON
BOXING
DIVING
EQUESTRIAN
FENCING

FOOTBALL
HANDBALL
HOCKEY
JUDO
ROAD CYCLING
ROWING
SAILING

SHOOTING
SWIMMING
TENNIS
TRACK CYCLING
VOLLEYBALL
WATER POLO
WEIGHTLIFTING

No. 54 Mammals Of Europe

K	S	M	T	U	E	F	E	R	G	T	B	H	R	Z
E	N	I	P	U	C	R	O	P	S	A	R	E	Z	Q
U	A	E	K	J	A	F	S	X	C	C	E	D	I	P
R	W	L	T	B	E	Q	U	S	N	D	S	G	L	W
A	B	I	B	R	U	R	W	L	E	L	U	E	S	U
S	C	I	L	I	A	R	B	O	T	I	O	H	S	K
I	T	A	R	D	C	M	R	O	R	W	M	O	J	S
A	Z	R	V	A	B	Y	H	H	A	M	R	G	J	K
N	E	D	U	P	Y	O	C	C	M	O	O	I	R	Q
L	E	A	S	T	W	E	A	S	E	L	D	K	Y	L
Y	M	T	B	E	A	V	E	R	N	E	L	P	Z	J
N	G	L	T	A	O	G	D	L	I	W	B	O	T	D
X	L	S	T	O	A	T	A	C	P	M	A	W	S	S
E	R	S	K	I	R	Z	I	E	S	C	R	S	U	T
E	N	V	L	G	N	I	M	M	E	L	B	Q	I	W

BEAVER
BEECH MARTEN
COYPU
DORMOUSE
EURASIAN LYNX
FOX
HEDGEHOG
JERBOA
LEAST WEASEL
LEMMING
MOLE
PINE MARTEN
PORCUPINE
RABBIT
ROE DEER
SQUIRREL
STOAT
SWAMP CAT
WILD BOAR
WILD GOAT
WILDCAT

No. 55

'My' Words

R	X	B	R	R	M	H	W	L	V	F	K	P	B	P
C	Y	B	F	L	H	U	W	J	S	G	T	A	A	H
G	L	O	O	M	Y	M	M	I	H	S	R	T	I	R
O	H	F	U	S	Y	W	R	M	K	M	V	U	P	R
D	C	A	S	S	T	E	A	M	Y	I	N	X	O	Y
A	P	R	T	T	J	T	L	A	C	I	H	T	Y	M
I	M	E	P	E	O	Y	U	R	J	U	W	E	M	R
R	R	S	T	F	A	R	M	Y	A	R	D	T	T	E
Y	Q	A	D	O	K	Y	M	O	N	O	X	A	T	D
M	N	L	H	T	R	M	R	Y	N	V	J	A	J	I
A	L	Y	E	E	U	Y	O	K	L	O	R	V	J	X
E	J	M	O	Y	T	Y	M	O	N	O	R	T	S	A
R	B	A	U	T	O	N	O	M	Y	I	U	G	F	T
C	L	S	R	U	R	A	A	W	O	A	Q	I	A	F
A	A	N	T	Q	R	S	B	A	C	T	Y	E	T	R

AGRONOMY
AMYLASE
ASTRONOMY
AUTONOMY
BARMY
CREAMY
FARMYARD
GLOOMY
MUMMY
MYOPIA
MYRIAD
MYRRH
MYSTERY
MYTHICAL
SHIMMY
STEAMY
STORMY
TAXIDERMY
TAXONOMY
TOMMYROT
YUMMY

Solutions

No. 1

N	S	S	E	C	Y	M	O	T	P	E	R	T	S	A
F	A	U	A	T	C	A	I	N	I	S	R	E	Y	T
N	L	L	C	P	F	L	U	M	V	U	E	X	R	A
A	E	L	U	C	S	L	E	W	I	L	S	P	I	O
R	T	I	I	O	O	E	Z	R	B	I	U	R	C	E
B	R	C	S	T	E	C	U	Z	R	H	C	O	K	N
P	E	A	W	S	T	I	O	D	I	P	C	T	E	O
B	P	B	E	O	E	T	B	T	O	O	O	E	T	C
O	O	O	I	N	C	R	A	S	P	M	C	U	T	O
R	N	T	S	O	U	O	I	A	S	E	O	S	S	C
R	E	C	S	C	N	V	H	A	A	A	R	N	I	C
E	M	A	E	U	R	E	Y	L	B	H	E	T	A	U
L	A	L	L	E	N	O	M	L	A	S	T	D	S	S
I	L	R	L	L	Z	Y	M	O	M	O	N	A	S	Q
A	A	S	A	P	A	S	T	E	U	R	E	L	L	A

No. 2

L	N	S	S	N	T	N	A	N	N	E	T	T	M	L
Y	E	R	F	I	L	L	A	G	A	R	E	K	A	B
U	E	V	E	T	E	B	T	I	M	E	L	O	R	D
A	G	T	A	T	S	A	T	H	R	C	I	D	T	A
N	L	N	P	R	R	K	A	U	E	C	A	L	H	L
R	N	W	O	D	T	R	E	P	B	L	L	A	A	E
K	O	O	I	S	T	E	M	O	Y	E	K	W	J	K
O	T	S	I	N	R	J	M	E	C	S	L	S	O	S
S	C	I	E	N	C	E	F	I	C	T	I	O	N	Y
A	A	L	L	T	A	N	V	W	T	O	D	A	E	P
Y	L	E	O	L	Y	P	M	I	E	N	L	R	S	M
U	F	L	D	R	A	L	M	Z	R	D	A	A	Q	K
K	P	E	R	T	W	E	E	O	N	T	P	L	T	L
S	K	O	A	L	S	P	U	R	C	A	A	C	I	T
F	D	M	N	N	A	G	C	M	M	C	C	O	Y	C

No. 3

E	Q	J	E	S	E	Y	Z	R	R	Q	P	E	B	N
O	I	M	C	R	E	G	N	E	L	L	A	H	C	A
A	E	A	P	N	I	R	U	G	H	X	R	S	A	O
I	T	K	A	A	L	U	I	A	R	E	A	L	L	Y
S	N	P	W	I	L	L	L	L	R	M	L	L	L	W
K	W	O	A	S	E	L	F	L	H	H	L	A	O	I
R	U	A	R	H	M	A	A	Y	X	D	E	H	U	I
O	N	D	L	A	L	T	U	D	A	F	L	E	S	P
J	O	E	R	L	T	E	S	I	I	S	Q	S	U	Y
J	O	K	I	L	O	M	C	S	M	U	H	L	L	J
Y	L	B	Y	O	K	W	A	A	A	A	M	L	S	Y
K	L	T	L	W	H	Z	L	L	L	J	A	A	L	R
E	A	L	Q	D	R	L	L	L	L	T	I	W	Z	Y
H	B	X	A	H	E	Y	O	O	W	O	V	D	Y	N
N	M	Z	S	R	Y	T	P	W	H	T	U	T	H	U

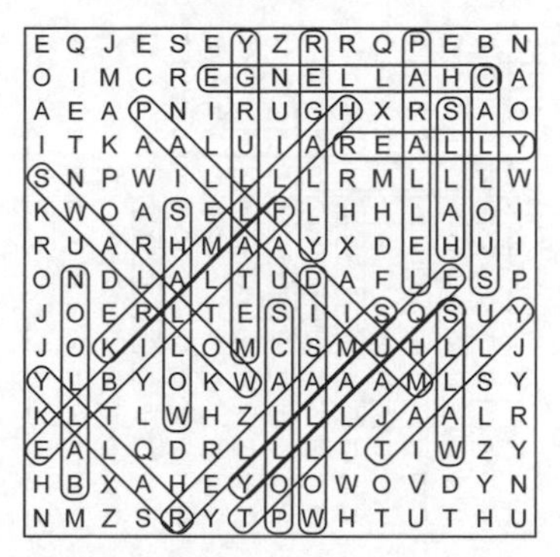

No. 4

S	L	S	A	A	T	O	N	E	M	E	N	T	C	S
I	T	E	M	O	S	J	B	V	U	I	F	L	A	Q
A	A	T	E	I	F	L	A	E	X	P	A	L	P	T
F	R	A	R	S	I	I	B	T	S	N	S	R	O	A
R	A	T	I	U	Z	U	R	U	T	A	E	X	C	R
I	R	S	C	O	Z	T	O	O	T	C	L	I	A	I
C	A	D	A	M	S	S	N	B	M	I	R	S	L	K
A	R	E	N	Y	K	D	X	A	S	R	W	L	Y	A
N	R	R	B	N	T	H	T	L	Q	E	B	O	P	M
Q	I	E	E	O	K	P	A	L	L	M	C	J	S	I
U	V	T	A	N	G	E	L	A	S	A	S	H	E	S
F	A	I	U	A	T	E	E	I	L	E	M	A	N	T
E	L	A	T	S	T	H	G	I	N	K	A	S	O	A
N	R	A	Y	O	B	A	T	U	O	B	A	P	W	D
D	N	A	L	E	R	U	T	N	E	V	D	A	I	R

No. 5

J	R	T	P	T	I	R	L	W	Z	H	M	U	O	T
S	E	U	L	B	Y	K	S	E	I	R	A	N	A	C
S	T	E	N	R	O	H	S	E	I	G	G	A	B	L
F	E	A	D	D	I	C	K	S	I	E	P	K	P	A
S	C	X	C	O	A	P	T	P	O	M	I	N	Z	R
E	B	E	O	K	H	G	O	R	O	R	F	D	T	E
I	N	L	I	F	C	T	G	T	A	I	S	Y	D	T
R	S	A	U	I	T	A	U	E	L	A	T	I	C	S
R	E	D	D	E	V	I	L	S	R	L	T	J	T	S
E	R	I	R	T	B	F	P	B	R	S	I	I	J	R
H	B	S	H	S	N	I	B	O	R	E	K	C	U	V
C	K	M	H	F	G	R	R	I	M	O	N	A	S	S
P	U	A	Q	N	A	A	O	D	T	P	R	N	R	S
X	Q	R	O	B	L	A	D	E	S	Q	E	J	U	P
U	A	I	L	L	I	T	I	J	Q	S	M	Y	U	G

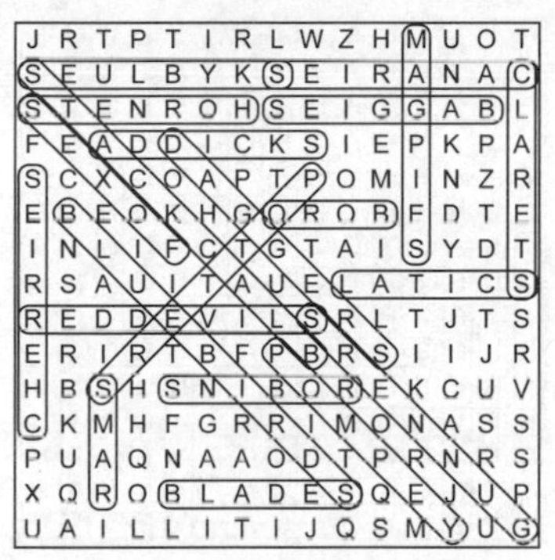

No. 6

M	T	G	A	T	E	T	U	S	R	Q	H	A	V	I
B	I	N	N	A	C	L	E	E	K	S	A	G	Y	Q
R	U	Z	B	E	A	K	H	E	A	D	V	X	U	B
I	B	L	Z	O	P	L	I	A	S	N	I	A	M	E
D	F	I	K	E	W	B	U	L	W	A	R	K	S	D
G	R	A	J	H	N	S	R	P	C	T	U	K	J	F
E	I	S	M	L	E	H	P	Y	E	L	L	A	G	S
V	E	G	T	E	T	A	A	R	W	U	Y	I	S	U
L	G	U	K	E	K	R	D	I	I	A	H	N	I	Y
K	S	L	Z	O	R	E	F	G	W	T	M	O	O	B
T	Z	W	S	U	C	N	S	G	P	W	A	E	H	A
O	P	R	C	K	R	L	N	I	G	V	Z	T	U	T
R	P	G	R	X	R	A	A	N	E	L	C	Y	L	T
R	I	L	G	H	G	S	U	G	U	N	W	A	L	E
Q	I	J	Z	X	S	F	R	P	G	O	E	D	X	N

No. 7

U	T	S	K	Y	F	A	L	L	N	I	N	O	R	I
D	H	L	J	S	R	E	G	N	E	V	A	E	H	T
O	E	L	I	F	S	S	E	R	C	P	I	E	H	T
U	G	O	L	D	F	I	N	G	E	R	C	E	C	O
B	O	U	R	N	E	U	L	T	I	M	A	T	U	M
L	O	A	S	C	O	N	S	P	I	R	A	C	Y	T
E	D	N	I	U	I	S	N	X	T	M	L	H	H	E
I	S	A	L	B	O	D	Y	O	F	L	I	E	S	A
D	H	I	L	S	C	I	F	T	A	T	J	C	P	G
E	E	R	K	L	C	W	R	T	L	A	S	L	Y	L
N	P	Y	Y	N	A	P	M	O	C	D	A	B	K	E
T	H	S	P	R	F	F	K	K	T	U	L	U	I	E
I	E	M	A	G	R	I	A	F	R	O	E	Q	D	Y
T	R	T	R	U	E	L	I	E	S	N	N	D	S	E
Y	D	T	Z	V	M	K	E	M	A	G	Y	P	S	D

No. 8

U	M	X	Y	L	S	X	H	S	I	U	J	F	H	I
X	S	A	Y	Q	V	E	P	P	R	S	E	R	N	I
L	M	C	X	C	S	U	K	Y	K	M	I	Y	W	N
U	E	U	A	I	C	S	R	S	U	I	D	A	R	C
R	O	N	I	P	L	O	O	R	T	A	Z	S	O	U
O	H	E	N	N	U	L	C	P	P	A	O	A	N	S
N	A	K	L	X	A	L	A	C	A	R	P	U	S	T
S	U	T	K	C	O	R	A	M	I	E	J	E	A	E
S	T	D	P	O	I	L	C	R	U	P	O	L	S	R
H	S	O	I	E	C	V	T	U	O	R	I	A	A	N
I	X	E	T	A	L	H	A	I	T	L	T	T	Y	U
E	A	A	N	G	B	V	E	L	B	I	D	N	A	M
R	L	E	T	H	M	O	I	D	C	I	A	O	E	L
M	U	A	N	S	E	S	J	S	R	Y	A	R	L	C
S	U	R	E	M	U	H	R	T	H	F	O	F	J	O

No. 9

N	R	I	I	O	Y	D	I	H	C	R	O	M	F	E
N	M	A	U	V	E	R	O	N	I	C	A	E	B	L
A	P	R	E	D	N	E	V	A	L	M	H	L	O	P
H	O	O	Y	S	R	R	L	A	E	D	Y	K	G	R
E	C	U	Y	C	E	R	V	T	D	V	M	N	N	U
R	P	R	P	P	C	R	H	N	E	T	U	I	A	P
H	T	O	A	E	Y	Y	X	E	H	F	L	W	D	Y
C	H	L	R	I	S	P	A	G	C	G	B	I	N	L
K	I	V	I	T	R	T	D	A	Y	S	E	R	A	R
X	S	R	O	O	O	T	O	M	S	Q	R	E	F	A
R	T	B	T	Y	R	I	A	N	P	U	R	P	L	E
P	L	U	M	C	I	A	L	P	L	A	Y	O	R	P
R	E	S	C	I	E	J	S	E	S	S	N	E	C	A
N	I	A	V	I	O	L	E	T	H	Q	A	S	T	S
S	E	U	R	D	X	X	E	W	A	D	P	A	Y	O

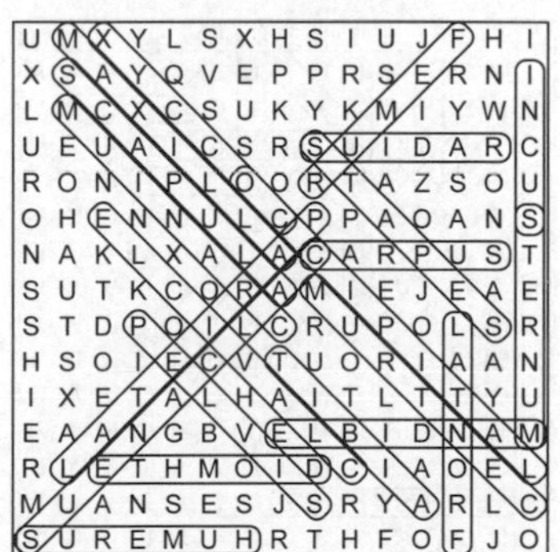

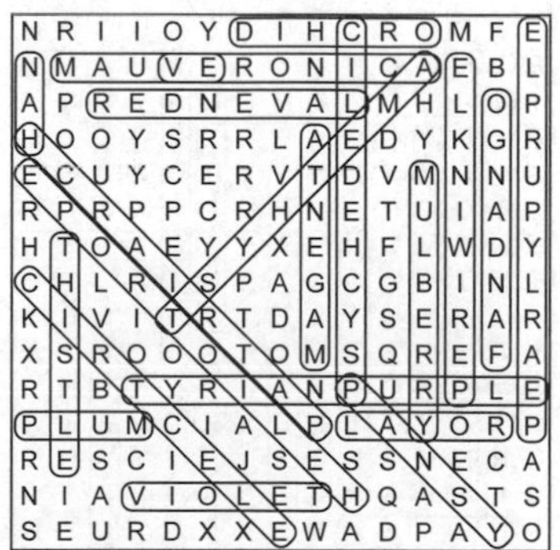

Solutions

No. 10

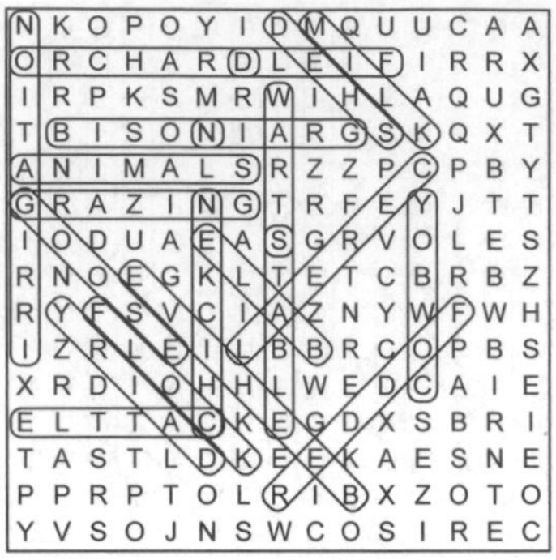

N K O P O Y I D M Q U U C A A
O R C H A R D L E I F I R R X
I R P K S M R W I H L A Q U G
T B I S O N I A R G S K Q X T
A N I M A L S R Z Z P C P B Y
G R A Z I N G T R F E Y J T T
I O D U A E A S G R V O L E S
R N O E G K L T E T C B R B Z
R Y F S V C I A Z N Y W F W H
I Z R L E I L B B R C O P B S
X R D I O H H L W E D C A I E
E L T T A C K E G D X S B R I
T A S T L D K E E K A E S N E
P P R P T O L R I B X Z O T O
Y V S O J N S W C O S I R E C

No. 11

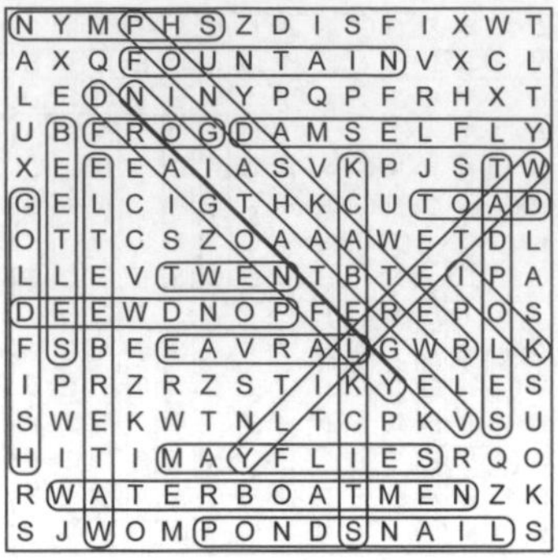

N Y M P H S Z D I S F I X W T
A X Q F O U N T A I N V X C L
L E D N I N Y P Q P F R H X T
U B F R O G D A M S E L F L Y
X E E E A I A S V K P J S T W
G E L C I G T H K C U T O A D
O T T C S Z O A A A W E T D L
L L E V T W E N T B T E I P A
D E E W D N O P F E R E P O S
F S B E E A V R A L G W R L K
I P R Z R Z S T I K Y E L E S
S W E K W T N L T C P K V S U
H I T I M A Y F L I E S R Q O
R W A T E R B O A T M E N Z K
S J W O M P O N D S N A I L S

No. 12

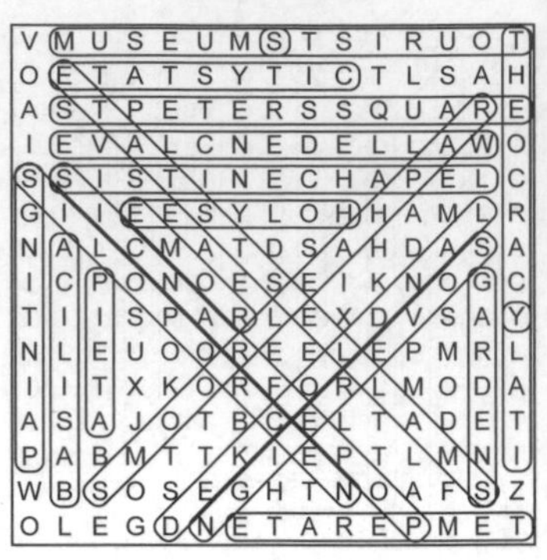

No. 13

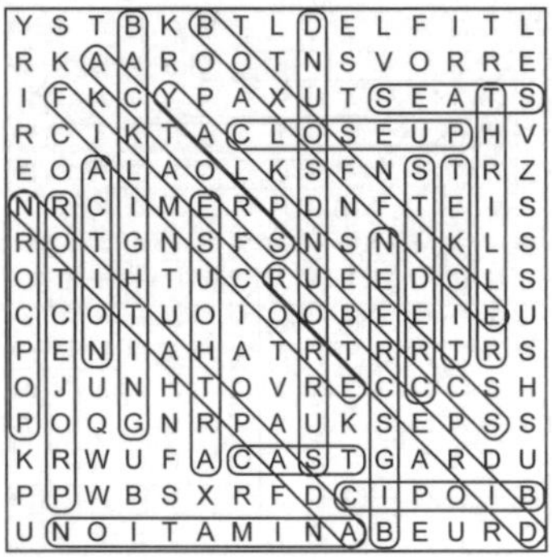

Y S T B K B T L D E L F I T L
R K A A R O O T N S V O R R E
I F K C Y P A X U T S E A T S
R C I K T A C L O S E U P H V
E O A L A O L K S F N S T R Z
N R C I M E R P D N F T E I S
R O T G N S F S N S N I K L S
O T I H T U C R U E E D C L S
C C O T U O I O O B E E I E U
P E N I A H A T R T R R T R S
O J U N H T O V R E C C C S H
P O Q G N R P A U K S E P S S
K R W U F A C A S T G A R D U
P P W B S X R F D C I P O I B
U N O I T A M I N A B E U R D

No. 14

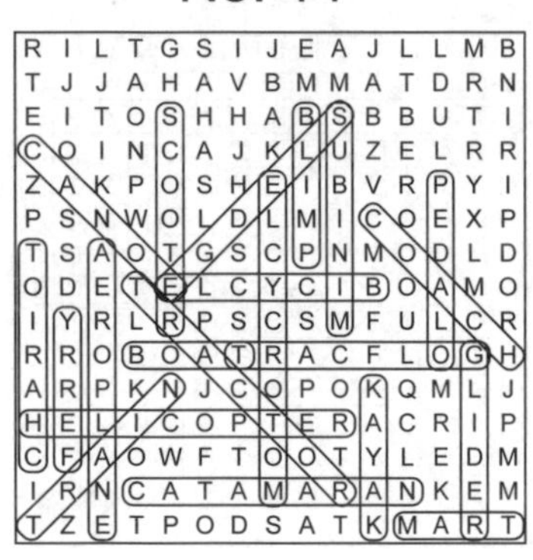

No. 15

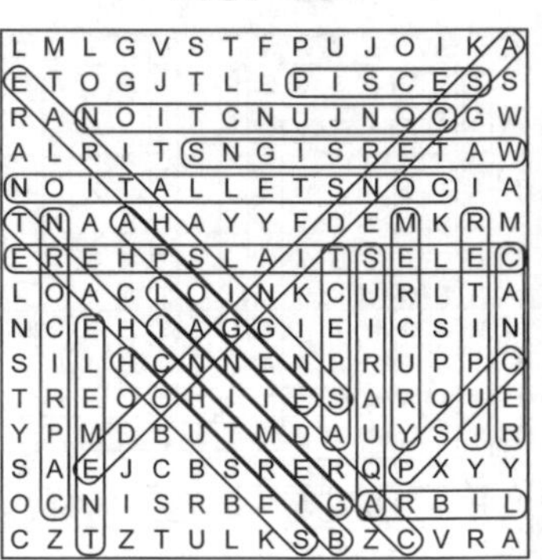

No. 16

L C C R O R D U A S H U O R H
P T H O R N F I E L D H A L L
I L A S O P O R P E A V U O M
P E R D G O V E R N E S S T E
A V L N R C K G L G H S D S E
R O O O R A S R E L S Z A C E
U N T M O N H A H A E L I Z A
T M T A O O A C Z N T L E M E
B I E S U I S E I D A A R B E
X E B O E T Q B A R G R E T X
S M R R O C H E S T E R D K X
Q I O N V I L S N E T M W I X
D R N R M F O S D H M V A R U
D L T P A R L I A R O S R E Q
Y H E L E N S E L S A J D D R

No. 17

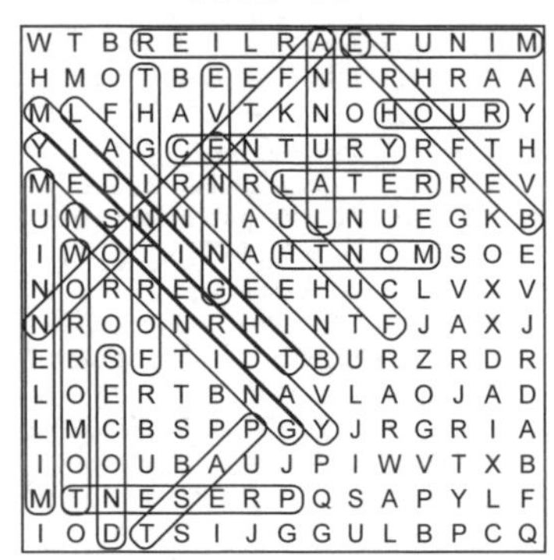

No. 18

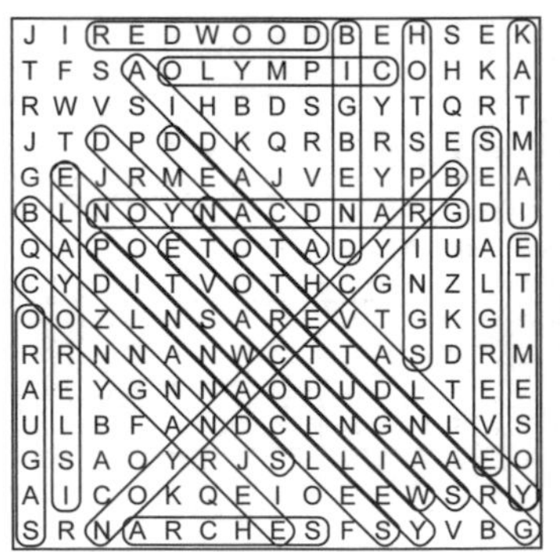

Solutions

No. 19

Y K N S I N S T I T U T I O N
B L O C Q U P O P L A A U G L
A I I I T G E T O T P G R E E
R N T M Q Z E A E C E G B S I
T N A A A L R L P L E R A A S
R O C N E F G I Y I R E N S I
E V I Y Y L R T T Q U G I E O
V A F D T A O A O U T A S J E
O T I P I N U R E E L T A S G
L O T U R O P I R L U E T E R
U R A O O M T A E E C L I T U
T S R R H I R N T U D U O T O
I U T G T E A I S N L N N I B
O U S V U L S S O B E A E N R
N O I T A L I M I S S A V G Q

No. 20

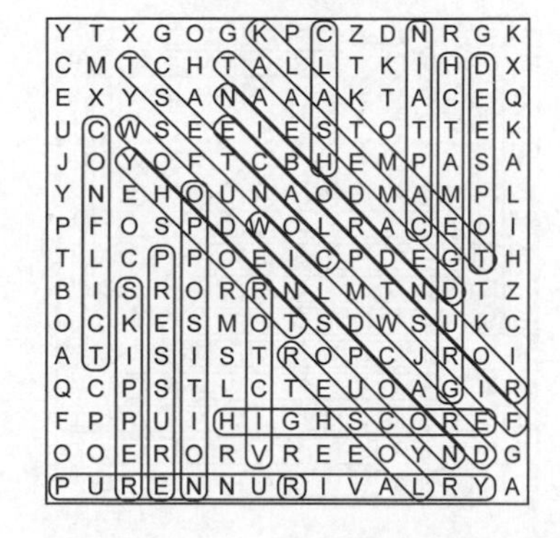

No. 21

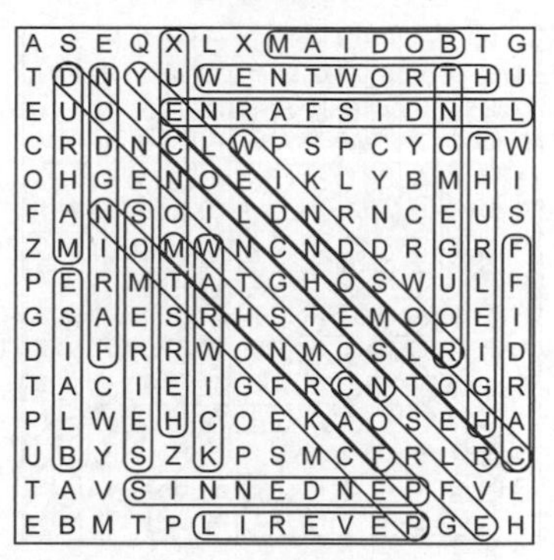

No. 22

Q U R D D C A A L A R M K S Q
S R P I R A V P H V F T V E F
R W E T A T E P A G G S K K X
E E R A T E R R O R N S U I X
C R T U T A S E D C O E N L M
N A U N S S I H M J I R E S S
A M R S T P O E F B S T A I I
N T B E O H N N O V L S S D A
G H A T L P G S P O U I I I R
U G T T S I M I J S V D N S L
P I I L C A O O R R E D E G Q
E N O I R G R N C F R T S U V
R N N N E R V O U S N E S S X
E A T G Z A E M O T I O N T G
P J B N T E I U Q S I D T C K

No. 23

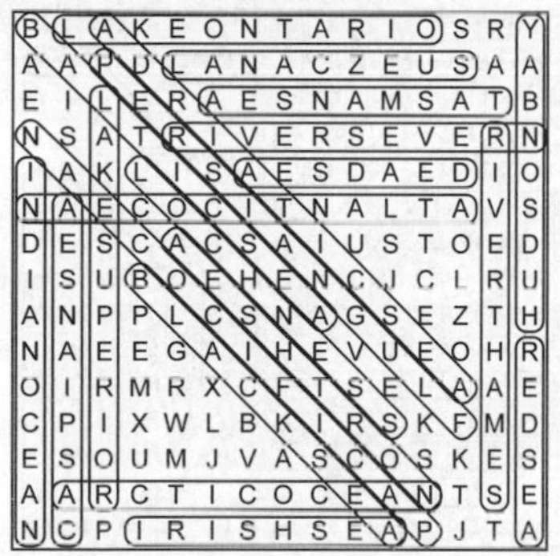

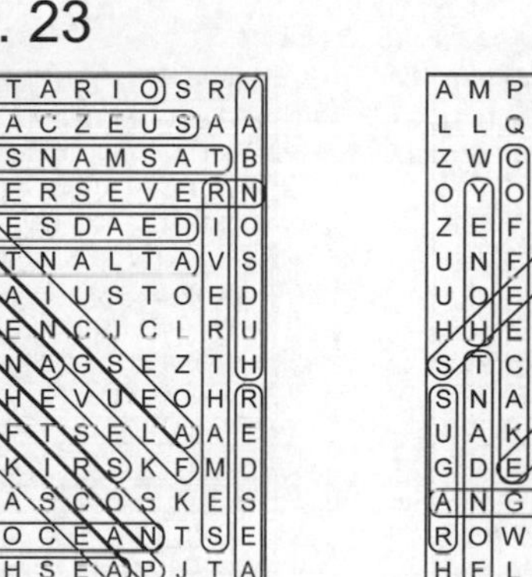

No. 24

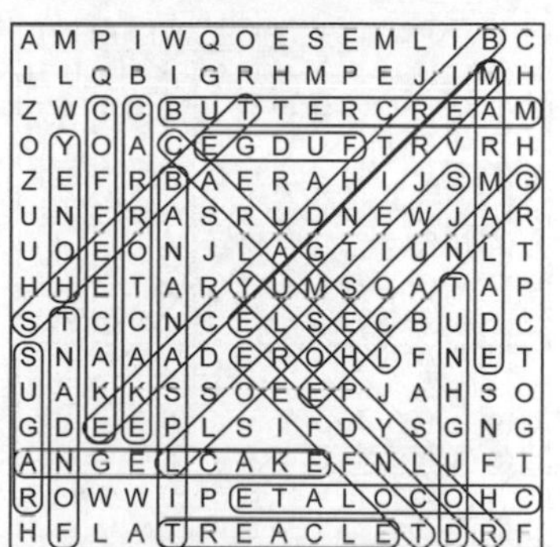

No. 25

A V P U E H I S F V C E G R R
P I T R B E R K E L E Y R S U
X O C S J O E E D G S L D J W
Z A M S U A N N U T I A E I E
O B L O E M F O N T E I N A M
T L G L F R R H T A B R A N I
X I W V P N B B V P E B B G C
C B D R O F D A R B M S S O B
D U E T K E K H S I B A I L Q
Z B A L T I M O R E G P R O I
A B A N G A L O R E L H B B B
S L U U L R E D L U O B T S L
Q B U L A W A Y O Z U E P O L
E R R U E P V D T D G T P D N
R J X T S A F L E B A M A K O

No. 26

O U C B T R R Y H C E J T R T
O Y S A E O E S S E N T I A L
N U E K F S D I A A S F S M L
H A N O S R T A N I A G R A B
D Q E B O S E E Y R O M V Z R
E P I C E R D E V O R P M I E
T Y T I L A U Q S E N O T N P
I H E X C I T I N G R L E G U
M R M U S T H A V E N G Y V S
I W E N D N A R B B L D P A R
L W O N D E R F U L F K L L W
E C I R P F L A H R E E U U R
M R V E I E V I S U L C X E A
I I Z E B O J Q O L R O P Q P
T N U O C S I D Y N A M I C U

No. 27

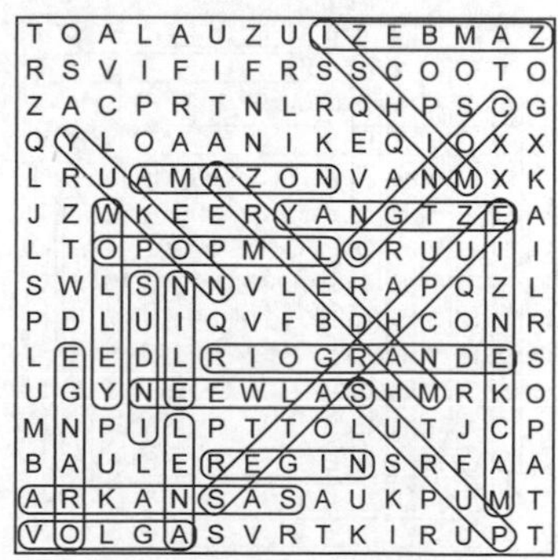

Solutions

No. 28

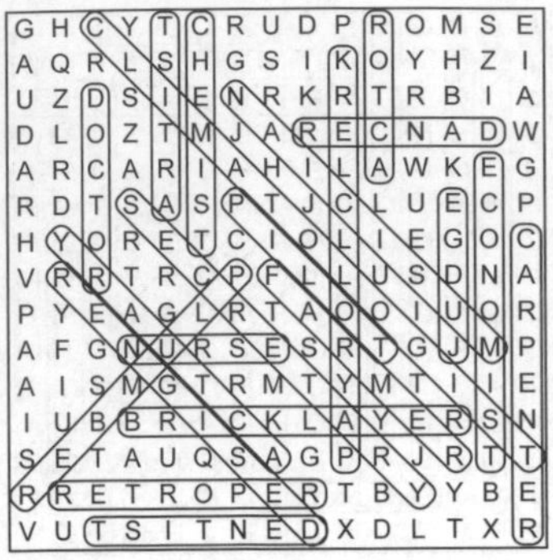

G H C Y T C R U D P R O M S E
A Q R L S H G S I K O Y H Z I
U Z D S I E N R K R T R B I A
D L O Z T M J A R E C N A D W
A R C A R I A H I L A W K E G
R D T S A S P T J C L U E C P
H Y O R E T C I O L I E G O C
V R R T R C P F L L U S D N A
P Y E A G L R T A O O I U O R
A F G N U R S E S R T G J M P
A I S M G T R M T Y M T I I E
I U B B R I C K L A Y E R S N
S E T A U Q S A G P R J R T T
R R E T R O P E R T B Y Y B E
V U T S I T N E D X D L T X R

No. 29

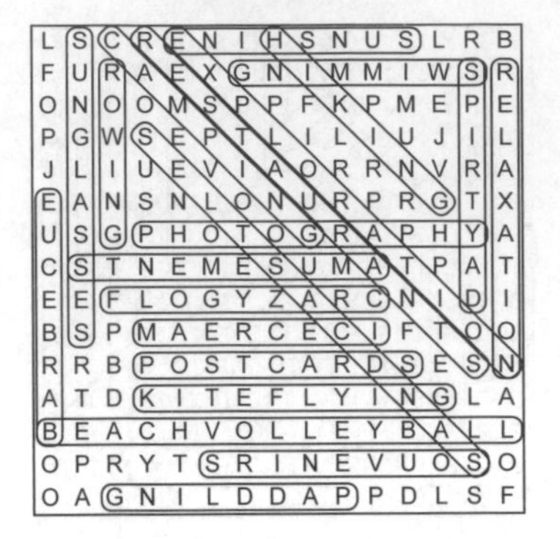

No. 30

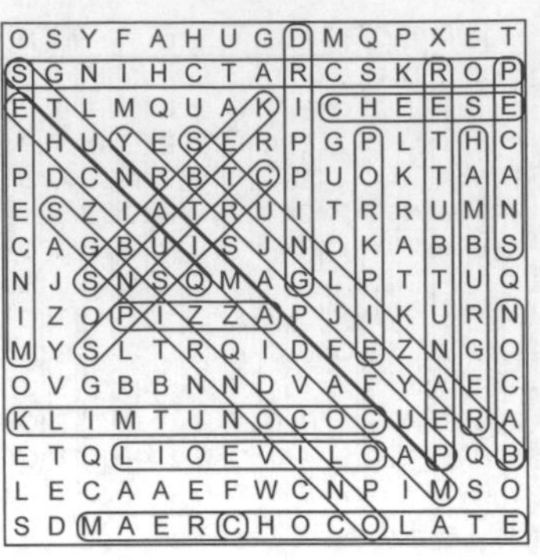

No. 31

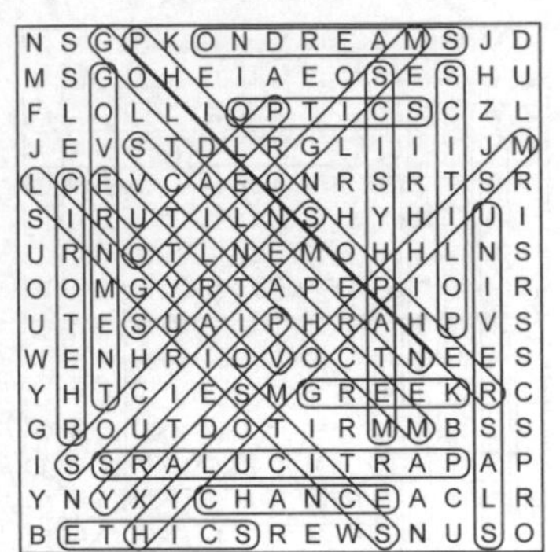

No. 32

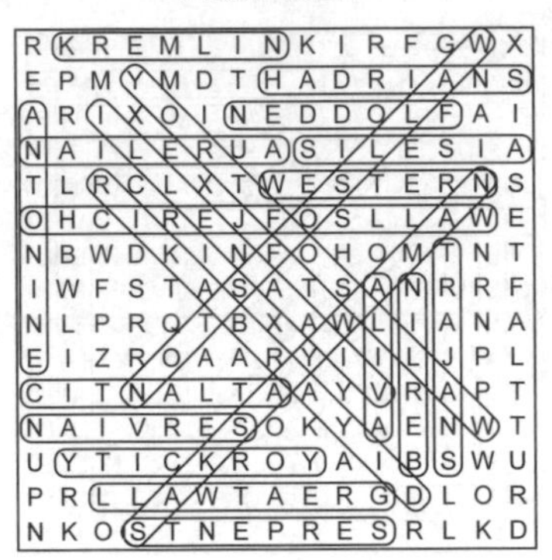

No. 33

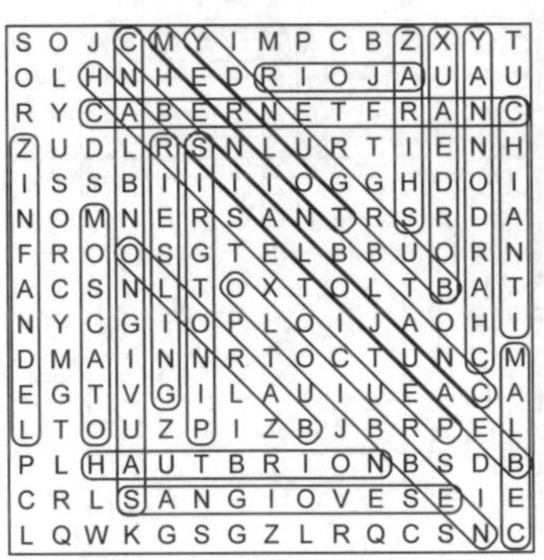

No. 34

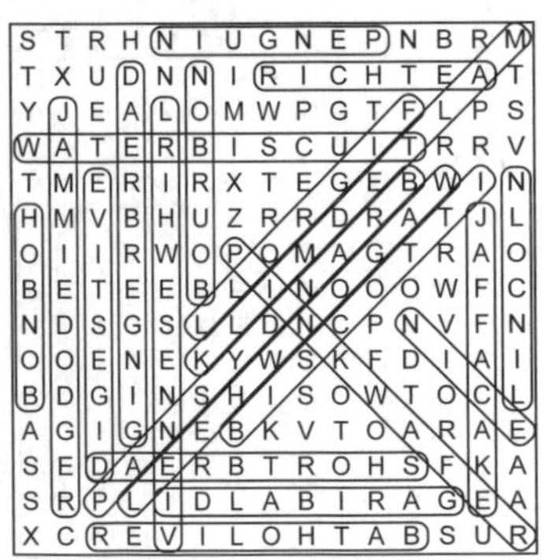

No. 35

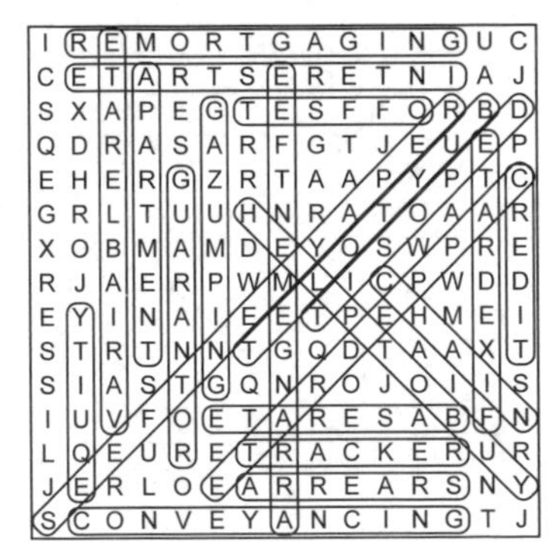

No. 36

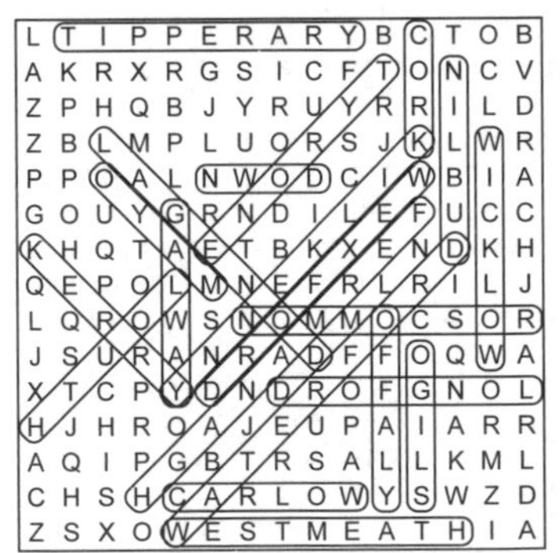

Solutions

No. 37

```
A L A D I T N O I T A I V A T
G N I S I U R C M E L J F O O
Q R R V T Y E W Y U U R U E L
S E L I L P T E I H A C E N I
T C I R E Y T V S N H F N G P
R H N N B T A R E D G K R I R
A C E C T T P W O L N S O N M
O A F O A U G W N I O F B E D
Q O F R E B N X H U L C R D C
C R O S S W I N D E R O I U F
I P E G N I D N A L E R A T T
N P K S T T L J C D T L H I Y
E A A T V X O T S R E I S T X
U D T S U R H T A Z E I E L L
M F W J R T Q J U T N W G A S
```

No. 38

```
L L A H S R A M K C A J S P O
D C G J P I J X K H Y E B D S
A L E A O C O J R E E G I R J
N P O U L H H I I L K N L A E
I E R R L A N M K E N A L W N
E T G O E R H B N N H L R H N
L E E B B D A O A C O D O P Y
P R F E S S L L M L J I W E S
O F O R I E L G R A L V L S H
L R R T C D L E O R G A I O I
L A B S N D E R N K O D N J P
E S E T A O C N O D R O G C L
N E S O R N M I K E M O O R E
A R T U F G E O R G E G R E Y
N R J T H S I L G N E L L I B
```

No. 39

```
O I R I F F S N I K S Q T L V
E H S R O T A I D A L G R L R
L L W O Y E S M I N I S T E R
A I A R E C I F F O E H T V T
D N R R O I S T R A E G P O T
R E O I Y T L A U S A C N A L
E O T M T N C W K L M L P F U
M F C K X E Z O F B Y E F T T
M D A C B R O A D C H U R C H
E U F A B P K C O L R E H S E
R T X L S P A N O R A M A X R
B Y E B B A N O T N W O D G L
O L H Y E E A S T E N D E R S
M N T A C H O S U R U D Q O U
I Q N T G T E E F D L O C S L
```

No. 40

```
N Z L N X S X U M S Z H U S U
I U J G S S U N G L A S S E S
P S T E G D A G A I F R L T G
U E R L W A L L E T D J E E A
R D N P R E S E N T S P B L B
S I S D T R L L P K N P A E D
E F B R A C E L E T E F L V N
G K O V D N S B E R T R R I A
P K O P H O T O F R A M E S H
E H K E Q A O U S O Y O N I X
M U S I C V M F W T I U G O R
L V P A W E D D I N G R I N G
A B A C C E S S O R I E S A T
E O M O B I L E P H O N E R A
R O E T N T Y K A C A R D S H
```

No. 41

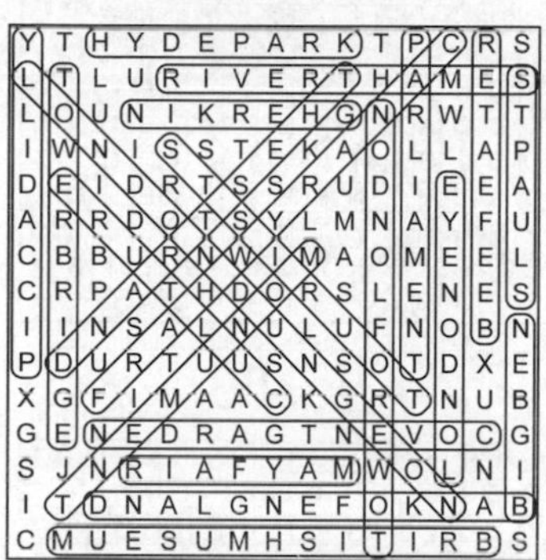

No. 42

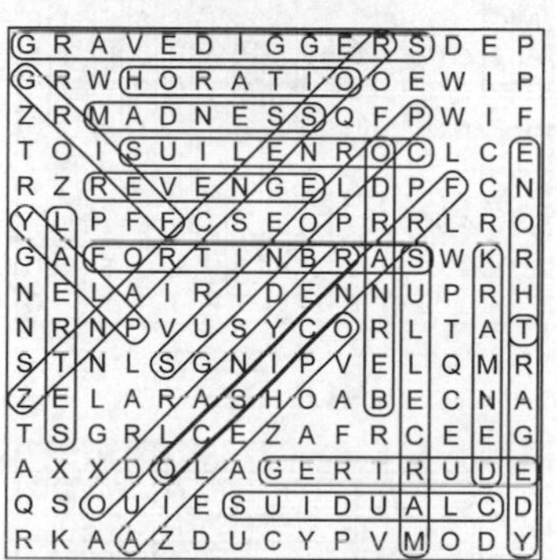

No. 43

```
D T A J B U A S U Y F J M C O
E A F T U C D H L E B L O S O
L E V Y F W A R T L U M S Q K
I W N P F O I I A L M T S D C
A S E D T O S L W O B C C C U
T U D E A L Y L N W L O A E C
D S R L I C C C Y F E M R C L
E S A I L A A A M A B M D L L
R Y G A E R R R I C E O E O I
W F E T D D P D N E E N R S H
S H G E H E E E I D N M Q T R
S O R T T R N R N I L A K L A
P N A I R E T O G P P S E A S
Q E L H E R E D M A S O N D N
H Y A W E A R L Y M I N I N G
```

No. 44

```
L I L T W R E V I R D E R S U
U L O N E S T A R Y S W L E L
A O S I L V E R A D O R P F H
S M P Q D O R I U J U I S T C
R I A B O I I O E E E O O O A
D N N E R N K P N O G B L M O
S O C L A O E E A P T R D B C
Y R H M D O Y N H O R A I S E
L E O A O N M R S T T V E T G
L G V R S H G A J L Y O R O A
E T I I O G O N L E P L B N T
K B L A Z I N G S A D D L E S
D T L C I H A E S T E T U I X
E U A H G R U I U R E H E I B
N E V I G R O F N U T I T W Q
```

No. 45

```
T F Q D H L I N A C R E A K K
A M O T R U L N Y T I N I R T
I T A H S O P D O W K C T Q A
L T A G C A F R V O K B S N F
P O S N D R A T R R M L I O H
B E I R U A U T R C O A R T I
E L M L I L L H U E T C H R R
J K H B L H A E C S H K C E E
K A R A R A N Q N T L F S M T
R L E I R O B U D E S R U W E
G G O L L E K E Z R U I P A X
L E L L I V R E M O S A R D E
A D L E I F S N A M E R O H L
B R A S E N O S E G J S C A C
T R L B Z R O Y O C L X F M P
```

Solutions

No. 46

R T X N Z H E F R I K X L L R
Q R S B H E R P V O D I Z O A
S R E G N E S S A P B L A U U
R S I A E S D C U S T O M S G
S P T T K J M I O T S P A G U
C H I E O D X S U U Y T V N E
H M C R K A O S I G P A A I E
E H R U T C G W M R R L L E G
D O T E I Y I L N Y U U E E S
U T T A U A A T U E T O O S D
L E B E R D J D A N B I T T G
E L V D R I V E R R V F V H N
E L X X S L A R L U G G A G E
A N E D A O R B A O U H A I A
R C C M S H K A Z J A P I S K

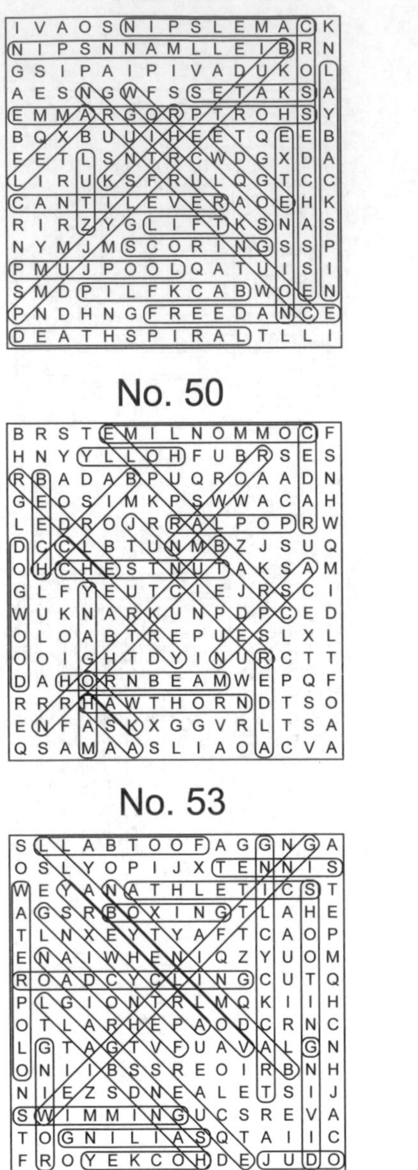

No. 48

S M U D S L I D E M O N Z S X
E L P I S C O S O U R Y T S R
T E V L E V K C A L B E F L W
S I N G A P O R E S L I N G I
A M T P I N K G I N R I R P R
E K A U Q H T R A E N A E A I
S L I R T P L E F L S W G R U
T U X T G W O L R S N A I A Q
B A T I D A Y L H S M H B D I
L E M O N D R O P A P E S I A
G Y A C L T P I R B Y U O S D
Y K S A U P T T T B U L N E S
V U O P E A I X S A O B N C G
A T I R A N A N A B H R A W H
A Y Z I I D N U O H D O O L B

No. 49

R N U X W W H R C F E A B I B
T O E O A T K K H D L E S N I
S I D E N T I F I C A T I O N
W T I K Z X M S C K G G R P O
X A H D Y P P P K A N N E Q C
O R E A R L A H S E I O S P U
W G D A A T G O S T T S E U L
A I G Y I O N T H W H D R U A
R M D E V V I O A I G R V E R
B P N A A N L G B T I I E G S
L C A O G O G R I C S B U A Q
E M A B G S D A T H U N L M A
R S O Y S W E P A E T E I U Q
E X P N J E L H T R K J S L U
T X I L S E F Y O P T T Y P O

No. 51

S B P S P V O X I D A S E Q A
Z R S E F S D Y F G T I R Z S
Z E O O A V L L Y S O Z Y M E
D A P L A C T A S E P Q A S S
B T J R E N I N I A P L A C A
Y E S A L Y M A S K T D T E L
E Z L S C C M S R A I Z H T A
C S S S H E P E S N P Y H L T
A P A U I L E E O R D E K J A
R X R P T L F R O R L H I X C
I A A P I U U T O I R H N Z R
N T Y W N L E L C V Q C A R H
U I A J A A A A U P E P S I N
S C O Y S S S U C R A S E S W
D H H E E E S A T S A I D M R

No. 52

B N L A I C A F E N G S H U I
K D E G N U L P D L O C A E Z
I Y S M T P A M P E R I N G Z
B G A E T N E E R G O B U A U
N O I T A I L O F X E O A S C
N L T E H W T D S K O R S S A
E O Z A I E E O W E R E D A J
G X I A N T R E Z I T A R M N
M E B T O I L A D U R A Q U I
M L U X A L C W P W N U L T C
R F R O N X A A H Y R Q T I O
Y E C E T X A A L T W A O I P
A R S G I I G L D S T P P S T
I S T N E M T A E R T V I S I
E A G S X A R R L R P S A K O

No. 54

K S M T U E F E R G T B H R Z
E N I P U C R O P S A R E Z Q
U A E K J A F S X C C E D I P
R W L T B E Q U S N D S G L W
A B I B R U R W L E L U E S U
S C I L I A R B O T I O H S K
I T A R D C M R O R W M O J S
A Z R V A B Y H H A M R G J K
N E D U P Y O C C M O O I R Q
L E A S T W E A S E L D K Y L
Y M T B E A V E R N E L P Z J
N G L T A O G D L I W B O T D
X L S T O A T A C P M A W S S
E R S K I R Z I E S C R S U T
E N V L G N I M M E L B Q I W

No. 55

R X B R R M H W L V F K P B P
C Y B F L H U W J S G T A A H
G L O O M Y M M I H S R T I R
O H F U S Y W R M K M V U P R
D C A S S T E A M Y I N X O Y
A P R T T J T L A C I H T Y M
I M E P E O Y U R J U W E M R
R R S T F A R M Y A R D T T E
Y Q A D O K Y M O N O X A T D
M N L H T R M R Y N V J A J I
A L Y E E U Y O K L O R V J X
E J M O Y T Y M O N O R T S A
R B A U T O N O M Y I U G F T
C L S R U R A A W O A Q I A F
A A N T Q R S B A C T Y E T R